UTTA DANELLA

EINE LIEBE,
DIE NIE VERGEHT

Begegnungen mit Musik

WILHELM HEYNE VERLAG

MÜNCHEN

HEYNE ALLGEMEINE REIHE
Nr. 01/7653

Das Buch erschien bereits unter dem Titel
»Begegnungen mit Musik«

Ergänzte Taschenbuchausgabe
Copyright © 1988 by Autor, Schneekluth Verlag
und AVA — Autoren- und Verlagsagentur GmbH, München-Breitbrunn
Printed in Germany 1988
Umschlagfoto: Isolde Ohlbaum, München
Umschlaggestaltung: Atelier Ingrid Schütz, München
Satz: werksatz gmbh, Wolfersdorf
Druck und Bindung: Ebner Ulm

ISBN 3-453-02548-2

Inhalt

Für meinen Bruder

Eine Liebe, die nie vergeht

Unbestimmbar, undefinierbar ist die Liebe; schön und schrecklich zugleich, beglückend und verderbend, rätselhaft und verlogen, einfach und klar — all das kann sie sein. Worte können sie nicht beschreiben, schon gar nicht erklären. Sie kann Laune sein oder Schicksal, und sehr oft ist sie nur eine Illusion.

Vergänglichkeit ist meist ihr Los, so gern man auch die Ewigkeit der Liebe beschwören mag. Wer täte es nicht, anfangs!

Selbst die natürlichste Art der Liebe, die zwischen Eltern und Kind, kann manchmal der Vergänglichkeit nicht entgehen. Ein Mensch kann eines Tages seinen Vater, seine Mutter nicht mehr lieben, und Eltern erleben die Bitternis, daß sie ihr Kind nicht mehr lieben können, weil das Band des Verstehens zerstört ist, weil die Geduld der Liebe überstrapaziert wurde.

Gibt es also eine Liebe, die nie vergeht, die sich im Laufe eines Lebens nur festigen und steigern kann? Eine Liebe, die ewig währt, weil sie nicht sterben kann, bevor man selber stirbt? Und vielleicht sogar dann noch vorhanden ist? Was weiß schon so ein armes Menschenkind?

Möglicherweise gibt es in jedes Menschen Leben so eine unsterbliche Liebe, man muß sie nur entdecken.

Es kann die Liebe zur Natur sein, zu Meer und Bergen, zu Wald und Heide, zu Blumen, Bäumen und Tieren, zu den Sternen. Jedoch kann die Natur absolut nicht liebenswert sein, sondern feindselig, da, wo sie hart ist, erbarmungslos, wo sie in Eis erstarrt oder in Glut verdorren läßt.

Bleibt das eine, was Menschengeist, was Genie erschaffen hat: die Kunst.

Wer Augen hat zu sehen, wer Ohren hat zu hören, wird nicht ohne Liebe leben müssen.

Wer die Fähigkeit besitzt, in sich aufzunehmen, in sich eindringen zu lassen, was ein auserwählter und begnadeter Mensch – ja, ein Mensch – für ihn, für jeden von uns erschuf, weil ein schenkender Gott ihm die Gabe verlieh, ein Bild zu malen, eine Statue zu formen, ein Gedicht zu ersinnen oder – rätselhafteste aller Künste – Musik aus dem Nichts erklingen zu lassen, die uns wirklich ›in eine bessere Welt entrückt‹.

Zu verstehen ist es nicht, zu erklären ist es nicht, woher die Töne kamen, die Bach, Mozart, Beethoven, Schubert, Brahms und viele andere zum Leben erweckten. Denn sie alle waren Menschen wie du und ich. Keine Engel, keine Heiligen, Menschen mit Fehlern, mit Lastern, von Krankheit gepeinigt, von Not gedemütigt, voll von Eigennutz, von Bosheit, von Neid und kleinlichen Gedanken, zu üblen Handlungen fähig, armselige Erdenwürmer und, wie alle anderen, zum Tode verdammt. Wie konnten sie Musik erschaffen, die sie selbst, ihre Zeit, ihr Jahrhundert überdauert? Dies bedenkend, muß selbst der größte Atheist an Gott glauben, denn nur ein schöpferischer Gott kann dieses Wunder vollbracht haben.

Liebe, die nie vergeht – es gibt sie von Mensch zu Mensch, ganz gewiß, so wie es sie von Mensch zu Gott geben kann, bei allem Unglück, bei aller Vernichtung, die der Mensch hinnehmen muß.

Und es gibt diese Liebe zur Kunst. Zur Musik, von der in diesen Zeilen die Rede sein soll. Eine Liebe, die nie vergeht, die eigentlich immer nur größer werden kann, weil Kenntnis und Verständnis im Laufe der Zeit wachsen. Denn der Beweis für Liebe besteht darin, daß man den Gegenstand der Liebe immer mehr liebt, je länger, je besser man ihn kennt.

»*Guten Abend, gut' Nacht...*«

Früh genug kann es gar nicht anfangen. Was der Mensch besitzen und bewahren soll, was zum Reichtum seines Lebens beitragen wird, was den Namen Glück verdient, das erwirbt er am leichtesten, wenn es sich aus Spiel und Spaß der Kindheit über die Aufgeschlossenheit der jungen Jahre zu Verständnis und Urteilsvermögen des erwachsenen Menschen entwickelt. So kommt es zu Genuß, Freude, wahrem Lebensglück.

Gerade für Musik ist das Baby schon aufnahmefähig. Denn was hört es, lange bevor es Märchen und Geschichten vorgelesen bekommt? Eine Stimme, die ihm etwas vorsingt, vorsummt, zärtliche schmeichelnde Laute, die beruhigen, Wohlbehagen auslösen.

Es gibt keine Mütter mehr, die Wiegenlieder singen? So sicher sollte man dessen nicht sein. Vielleicht singen nicht mehr viele »Guten Abend, gut' Nacht, mit Rosen bedacht...«, ganz einfach deswegen, weil sie es nicht kennen, weil es die eigene Mutter nicht gesungen hat, weil sie es — leider — auch in der Schule nicht gelernt haben. Doch die einschlägigen Lieder lassen sich auf Platten und Kassetten erwerben, und das ist ja immerhin eine Möglichkeit, daß das Kind sie zu hören bekommt.

Besser freilich ist es, die Mutter hört sich die Aufnahmen an und versucht es selbst — »Schlafe, mein Prinzchen, schlaf ein...« oder »Weißt du, wieviel Sternlein stehen...« Es müssen jedoch nicht unbedingt diese Lieder sein, jede sanfte, beruhigende Melodie tut es auch, vielleicht eine Eigenkomposition, eingegeben von Liebe beim Blick auf das einschlafende Kind.

Als nächstes kommen dann die Weihnachtslieder, fast

Johannes Brahms schuf eines der schönsten Wiegenlieder.

ausnahmslos gelungen in Text und Musik. Sie bleiben ein Leben lang ein kostbares Eigentum, und sie sollten möglichst selbst gesungen werden.

Und wenn keiner in der Familie ist, der Klavier spielt, kann man ja mit der Platte mitsingen. Alle Strophen, das mal bestimmt.

Aus der Mode gekommen sind Volkslieder. Was sehr zu bedauern ist. Aber wie ich festgestellt habe, gibt es seit einiger Zeit dicke Bücher, in denen die Volkslieder, und zwar umfassend, aufgeschrieben sind. Und der Technik zum Lobe sei vermerkt, daß es auch genügend Aufnahmen gibt.

Das Kinderohr, so geschult und aufnahmefähig gemacht, wird später ohne Schwierigkeiten beispielsweise Schubert-Lieder verstehen und lieben lernen.

Und auf diese Weise, das ist keine Zauberei, ist Musik ganz selbstverständlich in einem Menschenleben angesiedelt, gehört dazu, gehört nicht nur zu einem hochgestochenen Bildungsniveau, gehört zum Dasein wie die Luft zum Atmen. Der Boden für die lebenslängliche Liebe ist bereitet.

Der Schlager

Was ist das? Es muß nicht unbedingt mit Musik zu tun haben, es ist auf so ziemlich jedem Gebiet eine Sache, die ankommt, die einschlägt. Aber es ist nun einmal auf musikalischem Gebiet die Bezeichnung für eine Gattung geworden, die ziemlich schwierig einzugrenzen ist.

Man könnte sagen, der Schlager ist an die Stelle des Volksliedes getreten. Es sei noch einmal auf Schubert verwiesen, seine Lieder gingen wirklich ins Volk, der ›Lindenbaum‹ ist ja nicht nur in Schuberts Komposition in der ›Winterreise‹ zu hören, er ist auch mit einer einfachen Melodie und in genauer Strophenform zu einem Volkslied geworden. Und man denke an das ›Röslein, Röslein rot...‹, ein Goethe-Gedicht, das sogar in dreifacher Version vertont wurde: als Kunstlied, als Volkslied und schließlich als Operettenmelodie.

Die Operette, aus dem Singspiel entstanden, die im neunzehnten Jahrhundert ihre große Blütezeit erlebte, brachte eine Art Verschmelzung von Volkslied und Schlager. Johann Strauß, Vater und Sohn, Zierer, Suppé, Zeller, Offenbach schrieben Musik, die ganz von selbst zum Schlager wurde, schufen Melodien, die auf der Straße gesungen und gepfiffen wurden und zu denen man auch tanzen konnte. Und wie!

Das ging dann nahtlos über in unser Jahrhundert, zu Lehár, Kálmán, Paul Abraham, Oskar Straus, Robert Stolz, und hatte einen anderen Höhepunkt in der Berliner Variante, für die man nur die Namen Paul Lincke, Walter und Willi Kollo zu erwähnen braucht.

Noch viele Namen ließen sich nennen, Komponisten, die

echte Schlager schufen, die jeder singen konnte, und das lange bevor es eine Plattenindustrie gab.

In den zwanziger und dreißiger Jahren wurde der Schlager eine eigenständige Komposition, und ganz groß wurde er dann durch den Tonfilm. Da kamen Schlager zur Welt, die zum Teil noch heute populär sind. Das traf dann auf sehr erfolgreiche Weise mit dem amerikanischen Schlager zusammen, der teilweise aus dem Jazz, aus dem Gospel- und Bluesgesang der Neger entstanden ist, denen die Musik im Blut liegt. Was heute noch deutlich zu sehen beziehungsweise zu hören ist, und nicht nur auf dem Sektor der Unterhaltungsmusik, denn viele große Stars auf unseren Opernbühnen sind Farbige.

Als ich das erste Mal ›Ol' Man River‹, von Kenneth Spencer gesungen, hörte, war ich hingerissen, und ich besitze heute noch eine Platte aus den fünfziger Jahren von ihm. Besser als er hat keiner Spirituals gesungen.

Und was gäbe ich darum, einmal Al Jolson in dem Film, ›The Singing Fool‹ zu sehen und den ›Sunny Boy‹ im Originalton zu hören.

Das war zu Beginn der Tonfilmzeit und muß damals die ganze Welt, oder jedenfalls den Teil, wo man Kino bereits kannte, zum Weinen gebracht haben.

Hierzulande kamen die amerikanischen Schlager dann groß nach dem Krieg heraus, und es waren wunderbare Nummern darunter, nicht nur was die Musik, auch was den Text anbetraf. Der beste Weg, um Englisch zu lernen. Pat Boone, Nat King Cole, Perry Como, Bing Crosby mit seinem unsterblichen ›White Christmas‹, und mein Favorit Frank Sinatra, Frankieboy, von dem ich jede Platte besitze, die er je besungen hat.

Volkslieder sind das, was sonst? Genau wie die Shanties der Seeleute, die Gesänge der Hirten, wie die melancholischen Lieder der Kosaken.

»Frankieboy« Frank Sinatra

Frage: Singen sie eigentlich noch, die Seeleute, die Hirten, die Kosaken? Gibt es sie überhaupt noch?

Das Volkslied, der Schlager, sie sind gestorben in unserer seelenlosen Zeit. Denn was heute als sogenannte U-Musik geboten wird, ist nur noch nervtötender Lärm. Das kann

man weder singen noch pfeifen, das hat weder Text noch Melodie, und Musik ist es schon gar nicht.

Wann hörte es eigentlich auf? Mit den Beatles vielleicht, denn die konnten es noch.

Eine Kuriosität sei noch angemerkt, die sogenannten ›Lieder aus der Küche‹. Das waren die herzzerreißenden Moritaten, menschliches Leid beklagend, die die Mädchen in der Küche, die Mägde im Stall sangen. »Mariechen saß weinend im Garten, im Grase lag schlummernd ihr Kind…« oder »Der schönste Platz, den ich auf Erden hab', das ist die Rasenbank am Elterngrab«! Ich kann mich gut erinnern, mit welcher Anteilnahme ich Friedas Gesängen lauschte, mit gekonnten Schluchzern dargebracht, die einem italienischen Tenor nicht besser gelingen konnten.

»Das ist Kitsch«, belehrte mich meine Mutter ziemlich früh, ohne den Begriff näher zu erläutern. Einst wie jetzt ist es ja eine sehr subjektive Angelegenheit zu entscheiden, was Kitsch ist und was nicht. Hieran scheiden sich allemal die Geister und nicht nur auf dem Gebiet der Musik.

Inzwischen gehören die ›Lieder aus der Küche‹ zur Nostalgie, sie sind aufgezeichnet worden und werden so nicht ganz vergessen. Man kann darüber lächeln, doch man sollte die volkstümliche Art zu singen, nicht verspotten. Polyhymnia, die Muse der Musik, hat viele Kinder und mag sich großmütig denken: Singe, wem Gesang gegeben, denn Gesang verschönt das Leben.

Nicht immer für den, der zuhört, doch stets für den, der ihn produziert.

Herzzerreißende Moritaten wurden sicher auch in dieser herrschaftlichen Küche um 1920 noch gesungen.

Wie es beginnt

Gibt es eigentlich noch Hausmusik? Zugegeben, ein trockenes Wort für eine lebendige, sehr persönliche Art, Musik zu machen. Selbst zu machen, daheim im Familienkreis. Dazu gehören mindestens zwei, besser drei oder vier, und am besten die ganze Familie. Radio, Platten, Fernsehen sind nicht eben Freunde der Hausmusik. In früherer Zeit mußten die Menschen selbst musizieren, wenn sie in ihren vier Wänden Musik hören wollten. Heute wird ihnen die Mühe abgenommen, ein Knopfdruck: Musik ist da.

Woher aber kommen die vielen jungen Talente, die beispielsweise bei Wettbewerben auftreten und schon mit sechzehn oder siebzehn konzertreife Leistungen bieten?

Falls die Eltern, Vater, Mutter, oder alle beide, ein Instrument spielen, ist die Anregung gegeben. Aber oft sind es die Kinder, die den Wunsch haben, selbst Musik zu machen. Zwingen kann man sie nicht dazu, denn ob einer Klavier spielt oder Geige, es bedeutet zunächst einmal Arbeit und Einsatz von relativ viel Zeit, die man aufbringen muß und die man ja nicht zusätzlich geschenkt bekommt: Also steht an erster Stelle ein Verzicht. Der Schule kann man die Zeit nicht wegnehmen, aber dem Sport, sonstigen vergnüglichen Unternehmungen mit Altersgenossen muß man weitgehend entsagen. Von dem Moment an, wo der Jugendliche entdeckt hat, welche Macht ihm verliehen ist, dann nämlich, wenn er von den mühseligen Anfangsübungen dazu gelangt ist, Musik zu machen, wenn also das Talent, der Wille zur Leistung und eine gehörige Portion Begeisterung vorhanden sind und das Ergebnis nicht nur den Zuhörer,

Am Anfang steht meist die Blockflöte...

sondern vor allem den Produzenten glücklich macht – dann gibt es auf diesem Weg keine Umkehr mehr.

Wo kämen auch sonst die vielen Musiker her, und nicht nur die Solisten, sondern die Könner in den großen und kleinen Orchestern, die rund um die Welt immer mehr werden.

Irgendwann stand am Anfang ein Kind, das ein Instrument spielen wollte. Ein Kind, das nicht verzagte vor dem langen und schweren Weg, auf den es sich da begeben hatte.

Wenn nicht das Elternhaus, kann die Schule eine Rolle spielen. Es gibt Musiklehrer, die so begeistert sind von ihrem Beruf, daß sie imstande sind, ihre Begeisterung weiterzugeben. Nicht an jeden, aber immer wieder an einen Jungen, ein Mädchen, bei denen der Funke zündet. Bei dieser Gelegenheit sollte das Schulwerk von Carl Orff erwähnt werden, der sich ein großes Verdienst erworben hat durch die Art, wie er Kinder spielerisch an die Musik heranführt.

Eine gute Schulung für Ohr und Musikverständnis des Jugendlichen ist das Chorsingen: der Schulchor, der Jugendchor, der Kirchenchor, und damit sind auch jene, die kein Instrument spielen können, im Bereich der echten Kunst angelangt.

Und wenn man hinter dem großen Orchester die Chorsänger aufgereiht sieht, wenn der ›Dies irae‹-Schrei aus dem Verdi-Requiem einem durch Mark und Bein fährt, kann man mit Sicherheit annehmen, daß die meisten schon in jungen Jahren in einem Chor gesungen haben und trotz aller Probenmühsal nie darauf verzichten wollen.

Eine großartige Sache ist ein musisches Gymnasium, in dem sich Schule und Kunst verbinden lassen. Das gibt es bei uns noch viel zu selten, in diesem Punkt ist uns die Sowjetunion weit voraus, die außerordentlich viel für ihren künstlerischen Nachwuchs tut. Das Ergebnis kann sich denn auch sehen lassen.

Carl Orff spielt auf seinem Instrument im SOS-Kinderdorf Dießen am Ammersee.

Aber soviel ich weiß, müssen sich auch bei uns weder die Wiener Sängerknaben noch die Regensburger Domspatzen noch der Thomanerchor Sorgen machen, wo der Nachwuchs herkommt.

Natürlich gibt es im ganzen gesehen weitaus mehr Kinder, die Fußball spielen statt Klavier. Aber aus der Nähe betrachtet, werden es immer mehr junge Menschen, die der Musik ihr Leben verschreiben. Denn so muß man es nennen: Billiger ist es nicht zu haben.

Zu Lob und Preis Gottes

In großen und in kleinen Städten, sogar auf dem Land spielt die Kirchenmusik eine große Rolle: nicht einmal so sehr für die Gemeinde, sofern sich denn noch eine einfindet, sondern für die Ausübenden, die mit großer Begeisterung mitmachen.

Da ist zunächst einmal der Organist, sodann der Chor, da finden sich Musiklehrer aus Schulen der Umgebung und interessierte Laien, die mitsingen und mitspielen wollen. Befindet sich am Ort ein Orchester oder ein Theater, so treten die Mitglieder an Festtagen — Ostern, Pfingsten, Weihnachten — sehr gern einmal in der Kirche vor einem anderen Publikum auf. Wenn dann der Herr Pfarrer noch daran interessiert ist, daß in seiner Kirche schöne Musik gemacht wird, kann sich das Ergebnis manchmal sehen lassen.

Manchmal. Denn natürlich darf man in einem kleinen Ort oder gar auf dem Land nicht zu hohe Anforderungen an die Qualität stellen. Und Begeisterung allein bringt noch lange kein Kunstwerk zustande, so ist das nun mal.

Angenommen, der Chorleiter oder Organist versucht mit viel Geduld und Mühe seinen Laienchor einzuüben, so kann er doch nie ganz sicher sein, wie viele oder ob überhaupt welche zu den angesetzten Proben erscheinen. Ein Kegelabend, ein Krimi im Fernsehen kann ihm da schon übel mitspielen. Einmal fehlen die wenigen Tenöre, die man hat, und beim nächstenmal finden sich zwei Bässe und drei Altistinnen ein, und man müßte eigens ein neues Werk für sie komponieren. Und werden Musiker gebraucht, so kommen sie bestenfalls am Samstag zur Probe und schauen von Anfang an gelangweilt auf die Uhr. Manche kommen überhaupt erst am Sonntag, und man weiß nie, wie das gehen wird. Da nimmt man halt das Gloria langsamer, als es Mozart gemeint hat. Die Rettung bringt allemal die Orgel, ihr machtvolles Brausen, besonders am Schluß, und die von der Gemeinde gesungenen Choräle lassen manchen Schnitzer vergessen.

In der Kindheit meiner Mutter, über die sie immer gern erzählt hat, als ich noch ein Kind war, gab es für sie eine ganz wichtige Person: der Vatel Kantor.

Vatel ist schlesisch und soll soviel heißen wie Vater. Er gab Musikunterricht an der Schule, hörte dabei, wer sauber und schön singen konnte, und der oder die durfte bei ihm im Kirchenchor singen. Meine Mutter gehörte als kleines Mädchen schon dazu und blieb im Chor bis zu ihrer Heirat, und sie konnte regelrecht schwärmen von dem Kantor und seiner liebevollen Art, mit Kindern umzugehen. So wurde sie beispielsweise von ihm angestellt zum Notenschreiben, und das war eine große Ehre. Denn in ihrem Elternhaus wurde keinerlei Musik gemacht. Trotzdem lernte sie Klavier spielen, eben beim Vatel Kantor, und ihr älterer Bruder soll wirklich meisterhaft die Geige gespielt haben.

Ich finde, man kann das Wirken eines solchen Mannes gar nicht hoch genug einschätzen.

Große, herrliche Musik wurde seit eh und je zu Lob und Preis Gottes gemacht, und in lateinischer Sprache ist sie besonders wirkungsvoll. Die Quelle für ihren Reichtum ist die Liturgie der christlichen Frühzeit und später der Gregorianische Gesang mit seiner eindringlichen Unisonokraft. Es ist ein großes Erlebnis, eine gesungene Vesper in einer Benediktinerkirche anzuhören. Das ist, wenn auch stark dem Wort verbunden, Musik in reinster Form. Man begreift dann sehr leicht, daß diese eindrucksvolle Einfachheit in

Der weltberühmte Knabenchor der Regensburger Domspatzen vor dem Dom zu Regensburg.

Szenenbild aus dem 2. Akt von Hans Pfitzners Oper »Palestrina«
in einer Aufführung der Bayerischen Staatsoper.

späterer Zeit in Gegensatz geriet zu einer reich verzierten, allzu weltlich klingenden Kirchenmusik. Gegensätze, ja Streit gab es oft genug, wenn eine Veränderung der Form, des Stils, nicht nur in der Kirchenmusik, die Gemüter bewegte. In diesem Zusammenhang fällt mir gleich Hans Pfitzner ein und seine herrliche Oper ›Palestrina‹. Eine schwer aufzuführende Oper, schon allein wegen der großen Anzahl von guten Sängern, die benötigt werden. Peter Schreier hörte ich zuletzt als Palestrina in München. Eine sehr eindrucksvolle Leistung.

Palestrina, müde, verzweifelt seit dem Tod seiner Frau, kann nicht mehr komponieren, will auch nicht. Eine Messe soll er schreiben, verlangt die Kirche, verlangt vor allem Kardinal Borromeo von ihm, eine Messe, die die Kirchenmusik vor dem weiteren Niedergang retten soll, denn immer profaner klingt es vor den Altären, und auf dem Konzil in Trient, das gerade tagt, ist man nahe daran zu beschließen, die Musik aus der Kirche zu verbannen; die Zeit der Polyphonie scheint vorbei zu sein.

Er könne es nicht, sagt der mutlose Palestrina. Nicht mehr. Und dann kommt die ungeheure Szene, in der ihm die großen Meister aus dem Jenseits erscheinen und ihm Mut zusprechen, ihn beschwören, die heilige Musik zu retten.

»Dein Erdenpensum, Pierluigi!« rufen sie ihm zu, ehe sie verblassen.

Selten begreift man die ungeheure Einsamkeit des schaffenden Künstlers so gut wie in der folgenden Szene, da Palestrina sich aufrafft und in einer Nacht, wie ein Besessener, die von ihm verlangte Messe schreibt.

Nachdem die Messe in der Sixtina aufgeführt wurde, kommt der Papst persönlich zu Palestrina, um ihm zu danken. Historisch gesehen weiß man nicht einmal genau, ob das Werk, das diesen Umschwung bewirkte, die bekannte

Missa Papae Marcelli ist oder eine andere Messe des Meisters Palestrina, der eigentlich Giovanni Pierluigi hieß.

Für die Kirche, seien es Messen, ein Requiem, Oratorien, Kantaten, Motetten, ein Te Deum, haben sie eigentlich alle geschrieben, die großen Komponisten, katholische wie evangelische. Natürlich denkt man sofort an Bach, doch auch Heinrich Schütz sei genannt, Buxtehude, Pachelbel und vor allem der Gigant Händel, dessen Werke allein zu zählen ein abendfüllendes Programm bedeutet. Ich glaube, es sind mehr als vierzig Opern, nicht viel weniger Oratorien, und unglaublich viele Orgelwerke, Klaviermusik, Orchesterwerke teils geistlicher, teils weltlicher Art.

Das Oratorium, diese reinste musikalische Form der Gestaltung eines zusammenhängenden Textes und einer Handlung, das Gebetete, wie es wörtlich übersetzt heißen müßte, war wohl für Händel die größte Herausforderung. Unzufrieden soll er oft mit den Texten gewesen sein. Als er den Text zum ›Messias‹ bekam, schaute er ihn zunächst gar nicht an, er war sowieso mit sich und der Welt zerfallen, zutiefst verbittert über den Hof und die Londoner Gesellschaft und außerdem krank. Doch dann packte ihn der Text, und er komponierte innerhalb weniger Tage den ›Messias‹, der bald zu einer triumphalen Uraufführung in Dublin gelangte. Er hatte seine Widersacher in London besiegt, und gleichzeitig ein Werk geschaffen, das seinen Namen bis heute in den letzten Winkel der Welt getragen hat.

Er schrieb über beinahe jede Gestalt des Alten Testamentes solch ein Werk. Im Oratorium befreit sich die Musik von den Mängeln der szenischen Darstellung. Keine Pappkulisse, keine noch so große Bühne, könnte das an Imagination bringen, was einem einzigen Chor aus dem ›Messias‹ anhaftet. In ›Israel in Ägypten‹ wird der Auszug des jüdischen Volkes und das Durchschreiten des Roten Meeres musikalisch so packend dargestellt, wie es mit szenischen

Mitteln weder heute noch damals möglich wäre. Selbst der Film mit seinen Tricks könnte die Wucht des Chores nicht übertreffen: »Und er gebot es der Meeresflut«. Die Wasser teilen sich, trockenen Fußes schreiten die Juden durch das Rote Meer. Ist das in der Bibel schon eindrucksvoll zu lesen, wie tief ist die Wirkung erst mit dieser Musik.

Georg Friedrich Händel wurde vierundsiebzig Jahre alt, hat also für die damalige Zeit relativ lange gelebt. Aber schon mit zweiundfünfzig hatte er einen Schlaganfall und die letzten Jahre seines Lebens war er blind.

Was für ein Leben!

Georg Friedrich Händel — Sein »Messias« erlebte eine triumphale Uraufführung.

Musik bei uns zu Hause

Bei uns zu Hause wurde viel musiziert, laienhaft, dilettantisch gewiß, aber Musik war da. Mein Vater spielte Klavier, meine Mutter spielte Klavier, ein heißgeliebter Onkel ebenfalls, und dazu sangen sie auch noch. Es gab jede Menge Noten, das reichte von Schubert-Liedern bis zu Operettenmelodien — was Wunder, daß mir dies alles bis zum heutigen Tag vertraut ist. Mein Onkel beispielsweise hatte einen schönen Bariton und sang mit Vorliebe Löwe-Balladen — »Ich trage, wo ich gehe, stets eine Uhr bei mir...« oder, sehr geliebt von mir, ›Tom, der Reimer‹ (»Da sah er eine blonde Frau, die saß auf einem weihaheißen Roß...«) oder, schönstes von allen, ›Archibald Douglas‹ (»Ich hab es getragen sieben Jahr...«). Das kann ich alles noch auswendig, es ist einfach unverlierbar. Als kleines Mädchen stand ich neben dem Flügel, das heißt, als ich klein war, handelte es sich noch um ein Klavier, der Blüthner-Flügel kam erst später, als wir Kinder, mein Bruder und ich, auch gelernt hatten mit den Tasten umzugehen, mein Bruder übrigens weitaus besser als ich.

Im Geiste sehe ich mich neben dem Klavier stehen, aufnahmebereit bis in die tiefste Seele, wenn gespielt und gesungen wurde. Meine Mutter schlug überdies noch die Laute und sang kecke kleine Chansons dazu. Sie war hübsch und jung, sie tat es hinreißend. Mein Vater, der Schwabe, sang ›Jetzt gang i ans Brünnele...‹ und ›I wann i Geld gnug hätt, dann wüßt i, was i tät...‹

Alles noch da. Unverlierbar.

Wir hatten sogar einen wirklichen Künstler in der Familie; es war der schon erwähnte ältere Bruder meiner Mutter. Er spielte Geige, sehr gut, wie es heißt. Ich habe keine Erinnerung an ihn, er starb, als ich noch sehr klein war. Aber er soll mich zärtlich geliebt haben und hat mir die Geige vererbt. Jahre später nahm ich Unterricht, doch es wurde nicht viel daraus. Mir fehlte es an Fleiß, an Ausdauer — sein Talent hatte er mir nicht mitvererbt.

Radio und Schallplatten spielten in meiner Kindheit eine große Rolle. Wir hatten unendlich viele Platten, und ich kann heute noch Songs und Schlager auswendig, die vor meiner Zeit lagen, vor meiner Zeit als Musik hörendes Lebewesen. Die frühen Songs der Marlene Dietrich, den ›Armen Gigolo‹, ›Ich küsse Ihre Hand, Madame‹, von Richard Tauber gesungen natürlich, und all diese fabelhaften Operettenmelodien von Emmerich Kálmán und Paul Abraham, die in der Nazizeit ja nicht mehr gespielt werden durften, weswegen ich die Operetten nur von den Platten kannte, aber mit großer Begeisterung sang. Heute sind sie kaum noch zu hören, was ich bedauere, denn es ist eine einfallsreiche und rassige Musik.

Und dann unsere Opernplatten. Es gab noch kein Stereo, und es waren Schellackplatten, doch sie klangen herrlich. Kostbar gehütet, weil ja zerbrechlich, die für damalige Verhältnisse übergroße Platte mit Benjamino Gigli und Amelita Gallicurci, die ganz großen italienischen Opernstars jener Zeit. Auf der einen Seite das Sextett aus ›Lucia di Lammermoor‹, auf der anderen das Quartett aus ›Rigoletto‹. Da ja damals in der Oper noch deutsch gesungen wurde, war dies meine erste Begegnung mit der in der Originalsprache gesungenen Oper. Natürlich kenne ich von all diesen heute meist italienisch gesungenen Opern den deutschen Text noch auswendig, weswegen ich immerzu übersetze, wenn Pavarotti singt.

Mit dem Plattenkauf gab es dann wachsende Schwierigkeiten im Verlauf des Krieges, man bekam sie nicht einfach für Geld, man mußte jeweils für eine neue Platte zwei alte abgeben. Worauf ich in den Beständen zu wüten begann und aussortierte, was ich nicht für so wichtig hielt. Bis meine Mutter mir draufkam und sich um die Auswahl selbst kümmerte. Was ihr erhaltenswert erschien, eben weil mittlerweile verboten und nicht mehr zu bekommen, durfte ich nicht entführen. Eine ganz vergebliche Maßnahme, wie sich später zeigte, als die Bombe auf unser Haus fiel und nicht nur die Platten zerstörte.

Tabu waren auf jeden Fall die Opernplatten, von denen ging keine aus dem Haus.

Die Oper überhaupt! Einmal entdeckt, wurde sie zu meiner großen Leidenschaft, geradezu zur Besessenheit. Mein gesamtes Taschengeld verschwand auf dem vierten Rang der Staatsoper oder des Deutschen Opernhauses. Die erste Oper war – natürlich – ›Der Fliegende Holländer‹. Zu jener Zeit noch ganz naturalistisch inszeniert, mit richtigen Schiffen, sturmgebeutelten Seeleuten und am Schluß mit Sentas Opfersprung ins Wasser. Nicht so wie heute, wo die Matrosen ihr Schiff in Dalands guter Stube an den Biedermeierstühlen vertäuen und die verfluchten Geisterschiffer schließlich noch das Silber von den Tischen klauen. Ich frage mich, wie man heute ein Kind in diese Oper mitnehmen kann und, falls man es über sich bringt, wie unverzaubert es die Oper verlassen muß. Was sich notabene aufs Theater überhaupt bezieht. Man wirft uns vor, wir seien eine kinderfeindliche Gesellschaft, auf dem Gebiet des Theaters mal gewiß. Darüber sollten die außer Rand und Band geratenen Regisseure gelegentlich nachdenken.

Ich jedenfalls war verzaubert von dem unglücklichen Holländer, vermutlich begann damals meine Begeisterung für Richard Wagner. Ich übte immer wieder Sentas Sprung,

Benjamino Gigli – für mich der wunderbarste lyrische Tenor in unserem Jahrhundert.

Aus den beiden Vogelmenschen wird ein glückstrahlendes Paar.
Sonja Schöner und Horst Wilhelm in Mozarts »Zauberflöte«.

von der Sofalehne oder vom Tisch aus: »Hier steh ich, treu
dir bis zum Tod« – dann sprang ich ins Meer.

Schlimmer war, was ich auf dem Klavier anrichtete. Es
gab seinerzeit Auszüge von Klavierauszügen, gerade das

Wichtigste aus einer Oper, einfach zu spielen, und mit viel Pedal und kräftiger Stimme erklang bei uns Sentas Ballade, immer und immer wieder. Bis mein Vater genervt meinte: »Wir sollten mit ihr mal in die ›Zauberflöte‹ gehen.«

Auch die gab natürlich viel her — flöteblasend, teils Taminos, teils Paminas Text singend, stolzierte ich durch Feuer und Wasser, unermüdlich.

Ganz schlimm wurde es dann mit ›Carmen‹. Einmal gesehen, nicht mehr zu bremsen. Der Schluß hatte es mir besonders angetan. Mein Bruder bekam ein spitzes Gerät in die Hand, und ich tobte als treulose Carmen durch das Wohnzimmer. »Und wenn ich dir den Ring vor die Füße schmeiße — daaa mache ich! —, dann mußt du mir das Messer ins Herz stechen.« Das übten wir stundenlang, ich wand mich röchelnd auf dem Teppich, verschied und übernahm dann kniend vor der Leiche noch Don Josés schmerzdurchbebte letzte Töne — »Seht mich hier, blutgerötet, ja, ich habe sie getötet. Ach, Carmeeen, du mein angebetet Leben.« Daraufhin verhaftete mich mein Bruder.

Ist es zu verstehen, daß ich auch heute noch gern in die Oper gehe? Auch wenn manche Inszenierungen so desillusionierend sind.

Drei Klavierlehrer

Daß man Klavier spielen lernte, war selbstverständlich. Nur machten meine Eltern da einen großen Fehler, den ich ihnen bis heute nicht verziehen habe, und zwar bei der Wahl des Klavierlehrers. Es gab einen Bekannten der Familie, einen jungen Mann, der einen ganz normalen bürgerlichen Beruf hatte, er war irgendeiner Beamter, aber außerdem war er ein großer Musikliebhaber und spielte angeblich fabelhaft Klavier. Ausgerechnet bei ihm sollte ich Klavierstunden bekommen.

Dazu wurde die alte Damm'sche Klavierschule, mit der meine Mutter schon Klavierstunden erhalten hatte, neu gebunden, und los ging's.

Allerdings war dieser junge Mann – damals noch relativ jung, obwohl er mir nie jung vorkam – total unfähig, mit Kindern umzugehen. Er war griesgrämig, unfreundlich, zugeknöpft, streng. Er stand irgendwo im Zimmer, mit starrer Miene, und sah und hörte mir zu. Ich war, der Überlieferung nach, ein liebenswürdiges, gesprächiges, lebhaftes Kind. In Gegenwart meines Klavierlehrers war ich gehemmt, ängstlich, verunsichert, wie man das heute nennen würde. Ich schielte aus den Augenwinkeln zu ihm hin, sah sein Gesicht und hieb daneben. Und nach einer Weile haßte ich ihn. Ich glaube, es hat in meinem Leben nie mehr einen Menschen gegeben, den ich so gehaßt habe.

Er verstand wirklich nichts von Kindern, mochte Kinder vielleicht grundsätzlich nicht, ein Pädagoge war er sowieso nicht, und meine armseligen Bemühungen sind ihm wohl schwer auf den Geist gegangen. Sicher hätte er sich lieber, von der Tagesarbeit heimgekehrt, selber ans Klavier gesetzt und gespielt, was ihm Spaß machte. Die Klavierstunde wur-

*Ludwig van Beethoven — die Mondscheinsonate brachte mich
in der Klavierstunde zur Verzweiflung.*

de für mich zum Albtraum. Immerhin lernte ich einiges,
wenn auch zum Teil ungeeignete Sachen. Da er ein Opern-
fan war, spielten wir vieles aus Opern, was mir ja eigentlich
hätte gefallen müssen. Ich gelangte bis zur ›Freischütz‹-Ou-
vertüre. Auf dem Klavier gespielt! Von mir! Ich kann die

herrliche Ouvertüre heute noch nicht hören, ohne Carl Maria von Weber um Verzeihung zu bitten.

Getröstet wurde ich nach der Klavierstunde. Die Mutter meines Klavierlehrers war ein Schatz. Ich bekam Kakao und Butterbrötchen. Oder Wiener Würstchen mit Italienischem Salat, damals eine besondere Leidenschaft von mir.

Dennoch wuchs meine Abneigung gegen die Klavierstunden unaufhaltsam, ich schob alle möglichen Leiden vor, um sie zu vermeiden, ich weigerte mich schließlich, überhaupt noch hinzugehen. Da kam mir ein zeitgemäßer Umstand zu Hilfe: mein Vater erfuhr, daß der junge Mann ein begeisterter Nationalsozialist war. Damit war ich Klavierlehrer und Klavierstunden los.

Später bekam ich eine Klavierlehrerin, die ein echter Profi war. Ein tolles Weib, mit wallender Mähne und weiten, fließenden Gewändern, laut und voll Temperament, doch ihr Unterricht war gut. Jetzt kam ich an Haydn- und Mozartsonaten, an Schubert und Schumann und gelangte bis zur Mondschein- Sonate, die ich, bis auf den letzten Satz, einigermaßen zustande brachte. Meine heiße Liebe gehörte der Appassionata – Beethoven möge mir ebenfalls verzeihen, der Fehler lag bei mir, ich übte zu wenig.

Mein dritter Klavierlehrer, wieder eine Dame, war von unendlicher Geduld und Langmut. Sie schimpfte niemals, überhörte, was danebenging, korrigierte nur ganz sanft. Dazu kam, daß ich meist mit einem Jüngling zusammen Stunde hatte, wir spielten abwechselnd, was uns nicht etwa anspornte – ganz im Gegenteil, ging etwas daneben, grinsten wir uns verständnisinnig an. Manchmal spielten wir auch vierhändig, und da ich nun ein wenig älter geworden war, garnierten wir das mit verstecktem Lächeln und verstohlenen Blicken, und gelegentlich verhedderten sich unsere Hände, wir griffen gemeinsam daneben, und die alte Dame lächelte gütig.

B - A - C - H

Wie arm wäre unser Musikleben ohne ihn: Johann Sebastian Bach.

Musik war drin in meinem Leben und blieb es für immer. Zu meiner Leidenschaft für die Oper kam die große Begeisterung für den Liedgesang, Schubert vor allem. Noch heute liege ich lang hingestreckt auf dem Teppich, höre die

›Winterreise‹ und könnte mich auflösen in tausend Teile vor Schmerz und Seligkeit. Schumann, Brahms, Strauss — besonders von letzterem gab es viele Platten bei uns: ›Auf hebe die funkelnde Schale...‹, ›Ja, du weißt es meine Seele...‹ und das schönste von allen: ›Nicht im Schlafe hab ich das geträumt...‹.

Dann kam die Begegnung mit Bach. Natürlich kennt man auch ihn aus früher Jugend, die Choräle aus der Kirche und aus der Schule, Kantaten, Weihnachtsmotette, Silvestergottesdienst, auch das Weihnachtsoratorium, in dem es mir besonders die Altarien angetan haben. Und irgendwann hat man die bewegende Lebensgeschichte dieses Komponisten gehört, sein schweres, mühseliges und dabei so reich gesegnetes Leben.

B - A - C - H. Der Größte von allen, der Einmalige. Klavierlehrer Nummer drei, besagte freundliche Dame, ließ mich Bach spielen. Das sieht so einfach aus und ist doch so schwer.

Als mein Bruder Orgel zu spielen begann, ließ ich es bleiben. Er konnte es viel besser. Lieber höre ich ihm zu, als daß ich stümpere. Aber gefragt, wo Gott mir am nächsten ist, wo er in mir wohnt und ich in ihm, kann ich nur eine Antwort geben: die Matthäus-Passion. Wie dankbar müssen wir Felix Mendelssohn-Bartholdy sein, der dieses Werk 1829 gewissermaßen neu für uns entdeckte!

Von Schütz bis Bruckner

Wo, wann, mit wem begann die deutsche Musik? Eigentlich für meine Ohren mit Johann Sebastian Bach. Für Musikwissenschaftler steht am Anfang Heinrich Schütz, der genau hundert Jahre vor Bach geboren wurde, 1585, ebenfalls in Thüringen. Dieser Heinrich Schütz hat eine ungeheuerliche Vita, wenn man sich klar macht, daß er nicht nur bis 1672 lebte, für damalige Zeit ein wahrhaft biblisches Alter, sondern daß er zudem Zeitzeuge des Dreißigjährigen Krieges war. Dieser Krieg, der Deutschland so fürchterlich verwüstete, daß sich das Unheil nur noch mit dem des Zweiten Weltkrieges unseres Jahrhunderts vergleichen läßt. Nur daß der Neubeginn, der Wiederaufbau, wie man es zeitgemäß nennt, für die Überlebenden unseres Jahrhunderts weitaus rascher gelang, während das Elend des Dreißigjährigen Krieges die Deutschen um ein Jahrhundert der Entwicklung brachte. Aber nun, zu dieser Zeit lebte also ein Mann, der Jura studiert hatte, eine schöne Stimme schon als Knabe besaß, was ihm den Weg für sein weiteres Leben als Musiker eröffnete. Die Fürsten der damaligen Zeit, denen es oblag, künstlerische Talente zu fördern, erfüllten auch hier diese ihre schönste Aufgabe. Erst war es der Landgraf von Hessen-Kassel, der den Jüngling ausbilden ließ, später der Kurfürst von Sachsen, der Schütz in Dresden als Leiter des Hoforchesters anstellte. Und erst der fortschreitende Krieg reduzierte das Hoforchester, weil dem Kurfürsten das Geld knapp wurde. Worüber Schütz sehr verärgert gewesen sein soll. Schütz war zweimal in Italien, später in Kopenhagen, die beiden letzten Reisen wohlgemerkt fanden während des Krieges statt. Eine höchst erstaunliche Tatsache, aber man muß der historischen Forschung hier wohl vertrauen. Er

Er komponierte die erste deutsche Oper »Daphne«: Heinrich Schütz.

komponierte hauptsächlich geistliche Musik, aber er ist auch der Komponist der ersten deutschen Oper ›Daphne‹. Bis dahin war ja die Oper ein italienisches Privileg.

Leider ist die Musik zu ›Daphne‹ verlorengegangen. Was heißt, verlorengegangen — sie ist nicht mehr da, nicht mehr zu finden, einfach verschwunden. Doch der Krieg? Man stelle sich einmal vor, ja, man stelle sich vor, man würde

Ein Kirchenmusiker par excellence: der österreichische Komponist Anton Bruckner.

diese Partitur heute irgendwo entdecken. Möglich ist es immerhin.

Als Johann Sebastian Bach 1750 starb, da war Haydn schon geboren, Mozart kam sechs Jahre später zur Welt, es gab nun wirklich eine deutsche Musik. Österreich und Deutschland läßt sich in diesem Fall nicht trennen, was hätte sie je enger verbunden als die Musik. Und Wien wurde ja dann auch das Zentrum, dem alle Musiker zustrebten. Beethoven aus Bonn, Brahms aus Hamburg, Schumann aus Sachsen, die anderen waren sowieso Österreicher.

Und eins ist beachtlich in diesem Jahrhundert wundervoller Musikschöpfungen: Alle versuchten sie es mit der Oper. Sogar Beethoven, dem sie im Grunde gar nicht lag.

Nur zwei nicht, Brahms nicht und Bruckner nicht. Was bei Brahms verwundert, denn er konnte Melodien schreiben, er hatte ein dramatisches Talent des Ausdrucks, man denke nur an die erste Symphonie, an das zweite Klavierkonzert und an sein wohl schönstes Werk, an das Deutsche Requiem. Doch er schrieb keine Oper, und daran war wohl seine spröde Natur schuld, er heiratete nie, und man weiß nur von einer Frau, daß er sie liebte, das heißt, es wird vermutet, daß er sie liebte: Clara Schumann.

Was Anton Bruckner betrifft, so führte für ihn gewiß kein Weg zur Oper. Er war ein Kirchenmusiker. Als Dreizehnjähriger kam er als Chorknabe in das Stift St. Florian, hier wurde er erzogen, streng sicher, im rechten Glauben, ein wenig weltfremd vielleicht, denn das blieb er sein Leben lang. Unter der Orgel des Stiftes, man nennt sie die Crismannin, nach ihrem Erbauer, wurde er begraben.

Dazwischen liegt ein Leben voller Widerspruch. Man hat es ihm nie leichtgemacht, genaugenommen bis heute nicht. Denn wenn seine Werke, vor allem seine Symphonien oft aufgeführt werden, sind sie doch vielen Menschen schwer zugänglich. Sie haben vor allem einen Fehler: sie sind zu lang. Es heißt, bei der Erstaufführung seiner dritten Symphonie flüchteten die Wiener aus dem Konzertsaal, als das Werk kein Ende nehmen wollte.

Nun sollte man eigentlich annehmen, etwas Schönes kann gar nicht lang genug dauern. Und dennoch gibt es einen Punkt, wo auch Musik den Menschen nerven kann. Selbst bei Wagner, der ja auch noch Text und Bühnenbild und schöne Stimmen dazu liefert, hat man manchmal das Gefühl, er hätte sich etwas kürzer fassen können. Oder sind wir modernen Menschen einfach zu ungeduldig, zu schnelllebig, zu leicht – na ja, genervt. Auch von langen Vorträgen, breit getretenen Theaterstücken, endlos ausgewalzten Büchern, ewig dahin sich quälenden Filmen?

Um auf Bruckner zurückzukommen: er muß ein großartiger Meister des Orgelspiels gewesen sein. Was Liszt auf dem Klavier, was Paganini mit der Geige bedeutete, das muß er an der Orgel gewesen sein. Nur leider, es gab noch keine Aufnahmen, wir können es nicht hören.

Er ging zwar als Organist auf Konzertreisen, kam sogar bis London, aber in Wien zum Beispiel ließ man ihn links liegen, Brahms machte sich nicht das geringste aus ihm, die Kritiker gingen auch nicht gerade freundlich mit ihm um. Geld hatte Bruckner nie, und es fehlte ihm an Eleganz und Gewandtheit am Hof und in Adelskreisen aufzutreten, was eben damals wichtig für den Erfolg war. Einmal widmete er dem Kaiser eine Komposition, wofür dieser dann gnädigst 300 Gulden springen ließ. Das reichte gerade für den Druck des Werkes.

Richard Wagner wurde von Bruckner sehr bewundert und aus der Ferne verehrt, und schließlich reiste Bruckner nach München, um den ›Tristan‹ zu hören, aber Wagner konnte nicht viel mit ihm anfangen und behandelte ihn ziemlich herablassend. Später machte sich Bruckner nochmals auf und fuhr nach Bayreuth, und seine naive Begeisterung – er widmete Wagner seine Dritte Symphonie – veranlaßte diesen, nun doch etwas freundlicher zu sein.

Geheiratet hat Bruckner niemals, und über Damen, die ihm nahestanden, ist auch nichts bekannt.

Sehr berühmt ist er erst in unserer Zeit geworden, auch er ein Musikant Gottes, seine schönsten Werke – das Te Deum und die große Messe in f-moll.

Pianisten

Das am leichtesten zu spielende Instrument ist zweifellos das Klavier. Ganz einfach deswegen, weil man die Töne nicht herstellen muß, sie sind bereits vorhanden. Man muß nur die richtige Taste anschlagen. Da hört es aber mit der Leichtigkeit schon auf. Angenommen, einer hat gelernt, wo der richtige Ton zu finden ist, und er trifft ihn genau, deswegen kann er noch lange nicht Klavier spielen. Oder besser gesagt, er kann keine Musik machen. Denn darin besteht der Unterschied. Klavierspielen läßt sich erlernen bei etwas Begabung und viel Fleiß, doch das Instrument so klingen zu lassen, daß Musik daraus wird, das eben ist dem Künstler vorbehalten.

Das gilt natürlich für jedes Instrument, und Voraussetzung für jede Kunst ist die Technik, ist Arbeit und Fleiß und nie endende Mühe. Meiner Ansicht nach gibt es überhaupt nichts auf der Welt, was soviel Arbeit und Einsatz erfordert wie der Beruf eines Musikers; wenn man überhaupt das alltägliche Wort Beruf für die Leistung eines Künstlers verwenden will. Doch genau in diesem Wort steckt der ominöse Begriff, der die Arbeit des Musikers am besten trifft: Berufung.

Wenn einer sich berufen fühlt, Musiker zu werden, dann sollte er sich als erstes darüber klar sein, welch ungeheuerliche Arbeit, welche Kraft, wieviel Mut und welches Maß an Disziplin ihm abgefordert werden müssen, wenn er es auch nur zu der bescheidensten Stufe einer beachtenswerten Darbietung bringen will. Von dort aus ist es immer noch ein endloser und mühevoller Weg zum wirklichen, zum großen Erfolg. Und der Musiker ist dabei ganz mit sich allein, und es wird immer Stunden der Verzweiflung geben, da ihn

Bildnis des 13jährigen »Wunderkindes« Wolfgang Amadeus Mozart.

Kraft und Mut verlassen, da die Angst ihn verfolgt: ich schaffe es nie. Nicht zuletzt darum scheint es eine Notwendigkeit zu sein, daß der Beginn einer Musikerlaufbahn in der Kindheit liegt. Wenn Talent vorhanden ist, kann nur das Kind in seiner Unbefangenheit diese ungeheuerliche Aufgabe auf sich nehmen. Ist die Begabung vorhanden, die Freude an dem, was zu leisten ist, dann ergibt sich der Fleiß von selbst. Die Ängste und Zweifel kommen ohnedies früher oder später.

So erklärt sich wohl das Phänomen der sogenannten

Als Pianist wie als Komponist und Dirigent einer der großen Unsterblichen: Franz Liszt.

Wunderkinder, also jener Kinder, die schon in ganz jungen Jahren zu erstaunlichem Erfolg gelangen. Es hat sie immer gegeben, es gibt sie noch heute. Natürlich denkt dabei jeder zuerst an Mozart, der als kleiner Bub die Welt bereiste und dabei vor kritischen Ohren und allerhöchster Gesellschaft bestehen mußte. Und bestand. Wir wissen nicht, wie er gespielt hat, wie die Musik klang, die er darbrachte; wir wissen nur, was er geschaffen hat, und das läßt mit Sicherheit annehmen, daß der kleine Wolferl auch ein begnadeter Pianist gewesen sein muß.

Das Klavier hat, wie die meisten Instrumente, viele Entwicklungsstufen durchgemacht, bis es zu dem wurde, was wir kennen: Klavichord, Spinett, Cembalo, Tafelklavier, um nur einige der wichtigsten zu nennen. Das Hammerklavier war schließlich das Instrument, das unserem heutigen Klavier und vor allem dem Konzertflügel am nächsten kam. Schritt für Schritt, aber dennoch in der relativ kurzen Zeit zweier Jahrhunderte ging das vor sich. Als Bach sein ›Wohltemperiertes Klavier‹ schrieb, war der Weg in die Zukunft gewiesen, Wesentliches wurde am Instrument nicht mehr geändert, nur der Stil der Musik änderte sich, wie sich Stil und Zeitgeschmack eben ändern.

Klavier spielen können muß jeder, der Musik zum Beruf macht, egal welches Instrument er erlernt, und natürlich kann es der Komponist, der Dirigent, der Sänger.

Die großen Interpreten sind so unsterblich wie die großen Komponisten. Der größte Zauberer auf den Tasten muß wohl der Komponist und Dirigent Franz Liszt gewesen sein. Leider gab es zu seiner Zeit noch keine Schallplatten, die sein Spiel aufbewahrt hätten, so kann man nur aus der Wirkung auf seine Zeitgenossen schließen, wie großartig er gespielt hat. Er war unbeschreiblich berühmt, und das bis ins hohe Alter hinein, er wurde verehrt wie ein Halbgott. Wenigstens wissen wir, wie er ausgesehen hat, Bilder gibt es. Er war ein schöner Mann mit einem edlen Kopf, genauso wie man sich einen Künstler vorstellt, und die äußere Wirkung seiner Person hat gewiß noch zu seinem Ruhm und seiner Beliebtheit beigetragen. Ganz zu schweigen von den Skandalen mit den Frauen, vor denen er sich kaum retten konnte. So daß er sich schließlich in die Kutte eines Abbés rettete, die ihm, nebenbei bemerkt, sehr gut stand, ihn allerdings nicht vor der Liebe bewahrte, was er ja wohl auch gar nicht wollte, aber immerhin vor der Ehe. Seine schönen Freundinnen, die Gräfin d'Agoult, später die Fürstin Sayn-Wittgenstein, sind durch ihn ebenfalls unsterblich geworden, und seine Tochter Cosima, die später die Frau Richard Wagners wurde, hat einen Lebenslauf zu bieten, wie ihn der phantasievollste Romanautor nicht ersinnen könnte. Durch sie ist Liszt mit unserem Jahrhundert verbunden, man kann ruhig sagen, mit unserer gegenwärtigen Zeit, denn er war es immerhin, der sich mit Nachdruck für Wagner einsetzte, seine ersten Werke in Dresden und Weimar aufführte. Darum sollte man ruhig auch an ihn denken, wenn man sich in Bayreuth aufhält, denn gar so selbstverständlich ist es nicht, daß ein Genie das andere fördert.

Das wäre zum Beispiel etwas, was man sich von einer guten Fee wünschen könnte, falls man einer mal begegnen würde: hören zu dürfen, wie Franz Liszt gespielt hat. Wie Edwin Fischer? Wie Rubinstein? Wie Brendel? Wir werden es nie erfahren.

Solch ein Wunsch zieht sofort andere nach sich. Wie klang es, wenn Clara Wieck spielte? Und was machte der Teufelskerl Paganini mit seiner Geige?

Wir heute können uns glücklich schätzen, daß die Kunst der großen Meisterinterpreten aufgezeichnet und somit aufbewahrt wird, daß man sie für relativ wenig Geld nach Hause tragen und so oft hören kann, wie man mag. Auffallend ist übrigens, daß es besonders viele Frauen waren, die sich als Pianistin großen Ruhm erworben haben. Dabei denke ich vor allem an Clara Wieck, die später die Frau von Robert Schumann wurde. Gegen diese Ehe wehrte sich Claras Vater sehr erbittert, nicht ganz zu Unrecht, denn Schumann war bei aller Begabung ein schwieriger Mensch, ein

Robert Schumann mit seiner Gattin Clara, geb. Wieck.

Getriebener und schließlich ein Kranker, er endete in der Irrenanstalt. Clara muß ein sehr schönes Mädchen gewesen sein, auch von ihr gibt es Bilder, und sie war unglaublich begabt. Schon mit elf Jahren gab sie Konzerte, ging von der

Zeit an auf große Tourneen. Der Vater liebte sie über alles, er war mit Recht stolz auf sie. Er selbst hatte sie ausgebildet, er war Musikpädagoge, und in dieser Eigenschaft hatte er, was er später sicher sehr bereute, den jungen Robert Schumann ins Haus genommen, damit der haltlose, mittellose junge Mann neben der Ausbildung auch ein Zuhause hatte.

Clara war ein Kind, ein begabtes, ein kluges und bald auch ein berühmtes Kind. Und sie war ehrgeizig: ihr Erfolg als Pianistin genügte ihr nicht, sie komponierte auch noch. Schumann, nach wechselhaften Beziehungen zu Frauen, verführte sie, als sie sechzehn war. Und von da an liebte sie ihn und war nicht mehr davon abzubringen, daß sie diesen Mann heiraten wolle und keinen anderen. Zwar wurden sie durch Claras Konzertreisen immer wieder für lange Zeit getrennt, aber das lockerte oder löste ihre Bindung keineswegs. Man kann Vater Wieck verstehen, daß er gegen diese Ehe war und sich lange dagegen wehrte. Das Paar führte schließlich sogar einen Prozeß gegen Wieck, um die Ehe zu erzwingen. Clara war einundzwanzig, als sie heirateten.

Sie mag es bald bereut haben. Sieben Kinder brachte sie zur Welt, wodurch ihre Konzertreisen sehr erschwert wurden. Und wenn Schumann komponierte, durfte sie nicht üben, das störte ihn. Mit ein wenig Phantasie kann man sich diese Ehe vorstellen... Doch endlich hatte Schumann Erfolg, besonders mit seinen wunderschönen Liedern. Er schrieb viel Kammermusik, vier Symphonien, er versuchte sich, mit wenig Erfolg, an Opern, aber das Schönste, was er schrieb, und das entstand eben wohl doch durch sein Leben mit Clara, war das Klavierkonzert in a-moll. Ich stelle mir vor, wie sie es gespielt hat, er stand am Pult. Auch wenn es heißt, er sei kein besonders guter Dirigent gewesen. Es muß für sie ein großer, bedeutender Abend gewesen sein.

Mit vierundvierzig Jahren kam er in die Nervenheilan-

*Eine der frühesten Aufnahmen des Komponisten Johannes Brahms,
entstanden 1870.*

stalt, zwei Jahre später starb er dort. Clara war zu jener Zeit
Mitte Dreißig, und es gab einen anderen, später sehr be-
rühmten Mann, der sie liebte, Johannes Brahms. Er war ein
Freund der Familie, ein junger Mann, vierzehn Jahre jünger

Elly Ney – keine Pianistin spielte Beethoven so kraftvoll wie sie.

als Clara; der Klatsch wollte wissen, Claras siebentes Kind habe nicht Schumann zum Vater.

Clara lebte noch vierzig Jahre, sie nahm ihr früheres Leben wieder auf, reiste und konzertierte und festigte ihren Ruhm als Pianistin. Es ist meines Wissens die einzige Ehe dieser Art, ein großer Komponist, eine berühmte Interpretin. Ob wohl jemand nachgeforscht hat, was aus ihren Kindern geworden ist? Nachkommen müßte es heute noch geben. Aber ihr edelstes Kind, das Klavierkonzert in a-moll, lebt bis auf den heutigen Tag und macht die Menschen glücklich.

Wenn ich mich nicht irre, wird es gerade von Frauen besonders vollendet gespielt. Ich habe es gehört von Monique Haas, von Monique de la Bruchollerie, berühmten französischen Pianistinnen, von Martha Argerich. Clara Haskil spielte es, von ihr besitze ich noch eine Platte mit dem Konzert. Es gibt wohl kaum einen Pianisten, der es nicht im Repertoire hat, und auf Platte gibt es eine immense Auswahl, wobei es natürlich Spaß macht, die Darbietung der einzelnen Interpreten zu vergleichen.

Ehe ich mich nun von den Pianisten verabschiede, ohne von unvergeßlichen Eindrücken zu erzählen, sei noch einer Pianistin gedacht, einer wahren Tastenlöwin. Als ich sie zuletzt spielen hörte, da war sie bereits über achtzig Jahre alt. Und sie spielte an jenem Abend nicht ein Klavierkonzert, sondern zwei. Beethoven natürlich. Das machte außer ihr keiner. Nun wird jeder wissen, wen ich meine: Elly Ney. Sie war die wohl berühmteste Pianistin in unserem Jahrhundert.

Von den älteren Verwandten des Klaviers hat sich am besten das Cembalo erhalten. Es begleitet die Rezitative in den Mozart-Opern, und am häufigsten ist es als Rhythmusinstrument anzutreffen, wenn in der alten Musik die Rolle des Continuo zu vergeben ist. Zusammen mit einem Violoncello bildet es die Grundlage von Arien, Solostücken, Rezitativen, ganzen Oratorien. Auch der unvergeßliche Karl Richter hat häufig große Bachwerke als maestro al cembalo dirigiert. Die alte Musik läßt dem Spieler oder Dirigenten große Freiheiten, nach Belieben Figuren und ganze Passagen einzuflechten. Grundlage in den Noten ist oft nur ein bezifferter Generalbaß, der grundsätzliche Harmonien festlegt, doch die Ausschmückung dem Spielenden überläßt.

Das Cembalo ist aber als einer der Vorgänger des Klaviers auch ein hervorragendes Soloinstrument. Werke wie die Inventionen oder das Italienische Konzert von Bach gehören auf dem Cembalo gespielt. Es hat nahe Verwandte: das Spinett, das Clavizimbel, das Klavichord, das Harpsichord, von dem Bruno Walter schreibt, daß er es am liebsten in den Passionen verwendete.

Grundprinzip ist das Anreißen der Saite mit einem Federkiel, was den zirpenden Klang erzeugt. Meist sind Cembali mehrchörig, können aber durch den sogenannten Lautenzug bis auf die Zartheit einer Laute zurückgedämmt werden.

Es ist im Grunde ein romantisches Instrument, das eher in zarte Frauenhände gehört. Die kräftigen Finger heutiger Klavierspieler müssen erst umdenken, bevor sie ein Cembalo richtig spielen können. Doch man erreicht leichter eine elegante Schnelligkeit auf diesen feinen Tasten.

Da das Cembalo an Fürstenhöfen ebenso zu finden war wie in wohlhabenden Bürgerhäusern und meist von den Damen gespielt wurde, gaben sich die Instrumentenbauer große Mühe in der Gestaltung des Äußeren wie der Tastatur. Es gibt wahre Meisterwerke handwerklicher Kunst, ein Wechselspiel zwischen Gestalt und Klang.

Ein besonders schön gestaltetes Cembalo aus der Werkstatt von Georg Zahl, Planegg.

Harfe

Eine Sonderstellung nimmt die Harfe ein, nicht zuletzt deswegen, weil dieses Instrument schon in frühen Zeiten die Möglichkeit bot, in großen Orchestern mitzuwirken.

Bekanntlich hatten bis in die jüngste Zeit herein Frauen in einem Orchester im allgemeinen nichts verloren. Die da hinter den Notenständern saßen, waren durchweg Männer. Inzwischen hat man sich an Frauen im Orchester gewöhnt, sie spielen Geige, Bratsche, sogar Cello, sie blasen Flöte und Klarinette.

Aber auch früher schon saß stets eine Dame im Orchester, manchmal auch zwei Damen: die Harfenistin.

Warum Harfen, nicht immer, aber fast immer, von Frauen gespielt werden, weiß ich nicht. Denn es handelt sich ja um ein großes, schwer zu handhabendes und auch schwer zu spielendes Instrument. Woher stammt wohl das ungewöhnliche Privileg der Frauen, wenn sie Harfe spielten – und nur dann –, in einem Orchester gleichberechtigt Platz zu finden, längst vor der Zeit, als man Frauen im Orchester akzeptierte?

Die Harfe ist ein Instrument mit einer langen Tradition, auch wenn es früher anders ausgesehen hat, auch wenn man nicht unbedingt immer an die große Harfe der Orchester denken sollte.

Als Orpheus die geliebte Eurydike aus der Unterwelt lockte – was spielte er? Harfe. Da er sie im Arm trug, kann sie nicht so groß gewesen sein. Oder ›Des Sängers Fluch‹ von Ludwig Uhland fällt mir ein: »Der Alte mit der Harfe, er saß auf schmuckem Roß, es schritt ihm frisch zur Seite der blühende Genoß.«

Ein Privileg der Frauen: die Harfe.

Also besonders groß kann auch diese Harfe nicht gewesen sein, wenn er sie auf dem Pferd mit sich führte. Und gegen Ende zu heißt es dann gar von dem Überlebenden: »da faßt er seine Harfe, sie aller Harfen Preis, an einer Marmorsäule, da hat er sie zerschellt...«

Von dieser traurigen Geschichte gerät man unweigerlich zu einer anderen traurigen Figur, zu Goethes Harfner: »Wer nie sein Brot mit Tränen aß...«

Alle haben sie Harfe gespielt. Und was tat eigentlich Nero, als er den Brand von Rom besang? Hatte er nicht auch eine Harfe?

Genug.

Nur einer ganz bestimmten Harfenistin möchte ich noch gedenken, meiner berühmten Kollegin Vicki Baum. Ehe sie nämlich daran ging, Bücher zu schreiben, war sie Harfenistin. Irgendeine Verletzung an der Hand, oder eine Entzündung des Handgelenks, zwang sie dazu, diesen Beruf aufzugeben; statt dessen fing sie an zu schreiben. Und wurde eine der erfolgreichsten Schriftstellerinnen dieses Jahrhunderts. Auch wenn die Musik die edlere der Künste ist, in diesem Fall war der Weg von der Musik zur Literatur kein Abstieg.

Orgel

Das komplizierteste Instrument ist die Orgel: kompliziert im Bau, in den schier unübersehbaren Teilen, aus denen sie sich zusammensetzt und die noch dazu im Laufe der Jahrhunderte unzählige Wandlungen durchgemacht haben, und kompliziert schließlich auch zu bedienen. Zu bedienen ist vielleicht kein schöner Ausdruck, aber ›spielen‹ ist viel zu simpel, wenn man bedenkt, was der Organist alles anstellen muß mit Händen und Füßen, damit er dieses Instrument überhaupt erst einmal in Gang setzt, geschweige denn die gewaltigen Töne erklingen läßt, die dem Lobe Gottes dienen. Denn die Orgel erklang seit dem Mittelalter nur in Kirchen, erst in neuerer Zeit findet man sie auch im Konzertsaal. Nun hat es der Organist von heute insofern leichter, weil der Luftstrom, der benötigt wird, um die Pfeifen zum Klingen zu bringen, elektrisch gesteuert wird. Das erste Instrument dieser Art wurde auf der Pariser Weltausstellung 1867 vorgeführt. Bis dahin waren immer starke Männer vonnöten, um die Bälge zu treten, damit überhaupt ein Ton kam.

Wie es geklungen haben mag, als Johann Sebastian Bach am Spieltisch der Orgel saß, können wir uns vorstellen, denn es sind einige Orgeln aus seiner Zeit erhalten.

Neben den Künstlern, die die Orgel spielten und spielen, muß man unbedingt an jene Künstler denken, die Orgeln bauten. Es sind ihrer nicht wenige, und ihre Namen sind noch wohlbekannt.

Orgelbaumeister — was für ein Beruf! Ich habe nur einen in meinem Leben kennengelernt, in meiner frühen Kindheit. Ich erinnere mich noch daran, daß mein Vater sagte: »Er ist ein Orgelbauer, das ist etwas ganz Besonderes«, und daß ich den großen ernsten Mann mit dem tiefschwarzen Bart mit stiller Ehrfurcht betrachtete.

Die großen Orgelbauer der Barockzeit sind unvergessene Meister, und ihre Orgeln, soweit sie erhalten sind, legen Zeugnis ab von ihrem Können und lassen uns hören, wie die Orgel damals klang.

Die bekanntesten sind wohl die Silbermann-Orgeln. Am Anfang waren es zwei Brüder, aus dem Erzgebirge stammend, Andreas Silbermann und Gottfried Silbermann. Gottfried blieb in Sachsen, die berühmte Domorgel in Freiberg ist von ihm geschaffen. Andreas Silbermann wurde Orgelbauer in Straßburg und begründete eine ganze Dynastie: seine vier Söhne wurden allesamt Orgel- und Klavierbauer, der berühmteste davon, Johann Andreas, war so hochangesehen, daß er Ratsherr in Straßburg wurde. Auch seine Söhne wurden Orgelbauer, seine Töchter heirateten Orgelbauer; das ging so vom 17. bis ins 19. Jahrhundert. Im Straßburger Münster, in Colmar, in Marmoutier befinden sich Silbermann-Orgeln.

Eine der schönste Silbermann-Orgeln steht in Ebersmünster im Elsaß, diesem vielumkämpften Grenzland, in dem soviel Blut geflossen ist, diesem Kampfgebiet zweier Weltkriege. Das Dorf Ebersmünster liegt am Fuße der Vogesen, in der Ebene, die sich zum Rhein erstreckt. Es besteht aus alten wuchtigen Bauernhäusern, ein paar schönen Bürgerhäusern dazwischen, zwei Gasthäusern, und mitten im Ort steht, weithin sichtbar, die Barockkirche.

Im Inneren wendet man den Blick zur Empore und sieht das Orgelwerk über dem Raum schweben: ein Rückpositiv an der Emporenbrüstung, dahinter, eng eingeklemmt, der Spieltisch. Klar gegliedert ist die Hauptorgel: Pedaltürme

Silbermann-Orgel in der ehemaligen Abteikirche von Ebersmünster im Elsaß.

rechts und links, das Hauptwerk mit dem Prinzipal in der Mitte. Das Register heißt hier Montre. Wenn die Orgel gespielt wird, klappert es hörbar, für den Kenner der typische Reiz alter mechanischer Trakturen. Hier gibt es Holzkondukte, alte Ledergelenke, Schleifladen (das sind die inneren Registerzüge) aus altem abgelagerten Holz. Ausgesucht von Andreas Silbermann persönlich. Im Jahr des Herrn 1731.

Diese Orgel gibt es noch, sie ist nur zweimal repariert worden, doch in den wesentlichen Teilen unverändert. Sie steht hier inmitten der Schlachtfelder von einst, ein tönendes Monument, klingendes Zeugnis eines alten Meisters, das alles überdauert hat. Überliefert ist ja nicht nur das Material – Holz, Zinn –, die Mechanik, sondern auch der Klang, so wie er damals von Silbermann gedacht und gewollt war, denn er ist charakteristisch für den Straßburger Orgelbaumeister. Einige der Register sind seine ganz besondere Spezialität: Doublette, Tierce, Fourniture, Cromorne. Albert Schweitzer hat hier gespielt. Er war übrigens ein Gegner der elektrischen Traktur beim Orgelspiel – er wollte den Klang gerade so, wie er hier war.

Denkmale müssen nicht aus Stein sein. Dieses Denkmal tönt heute noch mit der gleichen Stimme, die sein Meister ihm gegeben hat. Ein Wunder auf dem Dorf.

Streichinstrumente

Das herrlichste Instrument, eine Engelsstimme in der Hand eines Meisters, ist die Geige.

Die Geige oder Violine hat ebenfalls eine lange Entwicklung hinter sich, Musikhistoriker wissen darüber zu berichten. Es gab sie in verschiedenen Formen und Größen, sie hieß Rebec, Lira da braccio, Viole, Gambe, und wenn sie auf dem Dorf zum Tanz aufspielte, nannte man sie Fiedel. Bis dann die großen Meister von Brescia und Cremona die Violine schufen, wie wir sie heute kennen. Auch das sind unvergessene Namen, von Geheimnis umwittert, geradezu Legenden.

Antonio Stradivari ist wohl der berühmteste, doch er steht nicht am Anfang. Der erste Geigenbauer, von dem noch Violinen erhalten sind, war Gasparo da Salò, so genannt, weil er in Salò am Gardasee geboren wurde. Er übersiedelte nach Brescia — warum, ist nicht bekannt — und starb 1609; seine Schüler setzten seine Arbeit fort. Dann wurde Cremona der Ort, in dem große Geigenbauer ihre Wunderwerke schufen. Da war zunächst die Dynastie der Familie Amati: Andrea Amati, seine drei Söhne, sein Enkel Nicola Amati, der bedeutendste in der Familie. Er wurde der Lehrer von Stradivari, Andrea Guarneri und Francesco Ruggeri. Auch Stradivari hatte große Schüler, alles unvergessene Namen — Carlo Bergonzi, Domenico Montagnana und Lorenzo Guadagnini.

All diese Meister lebten und wirkten in Cremona. Die ganze Stadt — oder der damals kleine Ort, man befindet sich ja noch im 16. und 17. Jahrhundert — muß von Violinenklängen erfüllt gewesen sein. Denn wer eine Violine schaffen will, muß sie auch spielen können.

Auch in anderen Ländern hat es berühmte Geigenbauer gegeben, man weiß von Caspar Tieffenbrucker, der aus Bayern stammte, und von Jacob Stainer, der aus Tirol kam. Es heißt, Bach und Mozart hätten Stainer-Geigen gespielt.

In Deutschland wurden und werden Geigen vor allem in Mittenwald gebaut. Hier war es Matthias Klotz (1656 – 1743), dessen Instrumente so wundervoll klangen, daß sein Name nicht vergessen ist.

Die Geschichte der großen Geigenbauer ist eines der spannendsten Themen der Kulturgeschichte überhaupt, und das Schicksal mancher dieser berühmten Geigen ist aufregender als ein Krimi.

Wie schufen die großen Meister diesen überirdischen Klang? Wichtig war zuerst das Material: Es mußte vor allem ein bestimmtes Holz sein, aus einem bestimmten Baum. Die Geigenbauer gingen in die Wälder, klopften an die Bäume mit einem kleinen Klöppel und fanden so die Bäume heraus, die den Klang in sich trugen. Wenn der Baum geschlagen war, und zwar nur im Herbst, dann mußte das Holz Jahre und Jahrzehnte lagern, bis es trocken genug war. Boden und Decke der Geige sind aus verschiedenen Holzarten: einer festen und einer schwingenden, der Boden aus Ahorn, die Decke aus Fichte.

Noch größer ist das Geheimnis des Lacks. Man weiß bis heute nicht und wird es wohl nie wissen, wie der Lack beschaffen war, den Stradivari verwendet hat. Jede chemische Analyse versagt in diesem Fall.

Unendlich kostbar sind diese Violinen. Es gab nicht wenige davon, und von manchen läßt sich ihr Weg bis heute verfolgen. Viele jedoch sind verschollen – wie man vermutet, sind sie sorgsam versteckt und gehütet von Sammlern, die möglicherweise das Instrument gar nicht zu spielen verstehen.

Ein Zauber, ein nie zu ergründendes Geheimnis umgibt

Der Aachener Geigenbauer Hans-Josef Thomas.

dieses göttliche Instrument. Verständlich, daß es auch immer wieder in der Literatur auftaucht, daß es romantische, traurige, auch düstere Geschichten gibt, in denen Engel, Tod und Teufel ihre Rollen spielen.

Werner Egk schrieb eine Oper ›Die Zaubergeige‹, um nur ein Beispiel zu nennen.

Der wahrhaft dämonische Geigenvirtuose
Niccolò Paganini.

Man kann es gut verstehen – ein Mensch nimmt ein Stück Holz in die Hand, ein bißchen Lack ist drauf, Saiten aus Darm oder Metall, in der anderen Hand hält er einen Bogen, mit Pferdehaaren bespannt, und unsere Seele wird emporgetragen in eine bessere Welt. Das Holz singt, der Mensch ist entrückt, beseligt. Die Violine, die Geige – ein Geschenk Gottes. Und Gottes geliebte Kinder müssen es gewesen sein, die dieses Instrument erschufen.

Es sind auch jene, die Musik für die Violine schrieben, und ebenso jene, die sie erklingen lassen.

Aber wie mühselig ist es, die Geige vollendet singen zu lassen. Welch weiter Weg vom ersten Kratzen des Kindes bis zum Vibrato des Meisters. Wie viele versuchen es, die nie als Solist auf dem Podium stehen werden, nie als Konzertmeister am ersten Pult sitzen, nie auch nur einen Platz in einem guten Orchester finden werden. Denn allein um dies zu erreichen, muß man ein großer Künstler sein.

Doch schon eine einzige Geige kann jedes kleinliche Denken und Fühlen vergessen machen. Etwa wenn Bach sie singen läßt in der Matthäuspassion nach der Schriftstelle von Petri Verleugnung: »Erbarme dich, mein Gott!«

Natürlich denkt man auch an einen unvergessenen Zauberer auf der Violine, an Niccolò Paganini, der Anfang des 19. Jahrhunderts seine Zuhörer begeistert hat wie selten ein Musiker zuvor und danach. Er besaß natürlich mehrere Instrumente, doch seine Guarneri soll ihm die liebste gewesen sein. Keiner nach ihm hat darauf gespielt, die Stadt Genua, wo er geboren wurde, erbte sie von ihm, und dort träumt sie in einem Museum von den Meisterhänden, die sie schufen, und von den Meisterhänden, die sie singen ließen.

Wie mag es geklungen haben, wenn Paganini geigte? So wie Menuhin, wie Oistrach, wie Stern, wie Zukermann?

Und noch ein anderer Gedanke drängt sich auf: die Wiener Walzer. Man stelle sich Johann Strauß, Vater und Sohn vor, und all die anderen, die Walzer ersannen — wie hätten sie ohne Violinen entstehen können? Wenn die Wiener Philharmoniker einen Walzer spielen, mit jener winzigen, doch so typischen Verzögerung vor dem Taktwechsel, dann ist abermals bewiesen, was für Wunder diese Violinen sind.

Oder die Zigeuner, die eine ganz besondere, man muß vermuten, angeborene Begabung haben, Violine zu spielen. Warum? Auch dies bleibt ein Geheimnis.

Eine ganz persönliche Erinnerung habe ich, auch aus meiner Kindheit, an einen großen Künstler. Er hieß Gerhard Taschner, und er spielte unter Furtwängler das Beethoven-Violinkonzert. Ich habe es seitdem oft gehört von den großen Meistern unserer Zeit. Aber damals hörte ich es zum erstenmal und war hingerissen, so tief bewegt, daß ich den Abend nie vergessen habe. Er war ein schöner junger Mensch, er spielte wunderbar. Man erzählte, Furtwängler habe ihn in einem Orchester entdeckt, ich glaube, es war Graz, und ihn als Solisten engagiert.

Was über die Violine gesagt wurde, gilt ähnlich auch für die anderen Streichinstrumente. Sie haben die gleichen Ahnen, auch sie wurden von großen Meistern gebaut. Die Viola, die man bei uns meist Bratsche nennt, hat diesen Namen zweifellos von der Viola da braccio. Der Unterschied zur Violine ist gering: die Viola ist ein wenig größer, so um sechs bis sieben Zentimeter, und sie ist um eine Quinte tiefer gestimmt. Doch selten spielt sie die Rolle eines Stars wie die Violine. Im Orchester ist sie der Übergang zum Violoncello, in der Kammermusik besetzt sie den dritten Platz. Ihr Ton ist weich, sehnsüchtig, immer ein wenig melancholisch, auch unheilverkündend kann sie klingen. Wagner

Paul Hindemith musiziert mit Georg Schünemann, der die Flöte Friedrichs des Großen spielt.

zum Beispiel verwendet sie bei Brangänes warnender Stimme in ›Tristan und Isolde‹: »Einsam wachend in der Nacht...« Brangäne weiß, daß es nicht gutgehen kann, daß auf die beiden Liebenden, die die Welt vergessen haben, ein böses Erwachen wartet.

Es gibt einige Konzerte für die Bratsche, man hört sie relativ selten, und es gibt einen Komponisten der neueren Zeit, Paul Hindemith, der die Bratsche besonders liebte. Er war selbst Bratschist, spielte Kammermusik und schrieb später Solowerke für die Bratsche.

Hoch angesehen ist das Violoncello, meist einfach Cello genannt, was sprachlich eigentlich Unsinn ist. Es ist das Instrument, das der menschlichen Stimme am nächsten kommt, volltönend, ins Herz dringend, zu Tränen rührend, wenn es von Meisterhand gespielt wird.

Cellisten wirken besonders hingegeben an ihre Musik. Das liegt gewiß auch mit an ihrer Haltung: sie haben das Instrument zwischen den Knien, sind darüber geneigt, scheinen hineinzuhorchen, sie wirken in sich gekehrt, ganz weltverloren.

Auch hier kennt man große Namen, Pablo Casals, Rostropowitsch, und ich erinnere mich auch noch an Enrico Mainardi, der zusammen mit Edwin Fischer und Wolfgang Schneiderhan Trio spielte.

Für das Violoncello ist ebenfalls die Gambe die unmittelbare Vorgängerin. Es hat lange gedauert, bis sich die heute übliche Form entwickelt hat. Im sechzehnten Jahrhundert bereits hat die ›kleine Baßgeige‹ viele bildlichè Darstellungen, zum Beispiel bei den sogenannten Engelskonzerten, gefunden, so auf dem Cäcilienbild von Bonone.

Das Cello ist eine Oktave tiefer gestimmt als die Bratsche, und seine Aufgabe ist es daher zumeist, im Oratorium, in der Passion, mit dem Cembalo das Continuo zu bilden, es ist also der Stützpfeiler, auf dem das Werk ruht.

Als ob er in sein Instrument hineinhörte:
der Cellist Enrico Mainardi.

Bach schrieb bereits Solosuiten für das Violoncello, fast alle
großen Komponisten haben Konzerte für dieses Instrument
geschrieben.

Mir fallen zwei ganz besonders geliebte Cellopassagen ein: das Andante im B-Dur-Klavierkonzert von Brahms, das Cello im Duett mit dem Klavier, so eindrucksvoll, so eindringlich, als verstehe man jedes Wort. Und dann Agathes Gebet im ›Freischütz‹, das vom Cello eingeleitet und begleitet wird und in seiner tiefen Frömmigkeit den Hörer ganz sicher macht, daß Gott die Unschuld schützen und das Böse von ihr fernhalten wird. Das sind Stellen in einer Oper, bei denen man den Fortgang am liebsten anhalten möchte, um diese Stelle noch einmal und noch einmal zu hören.

Und noch ein letztes Beispiel: das Vorspiel zum ›Tristan‹. Wenn hier das Cello einsetzt, versinkt die Welt.

Der große Bruder der Streicherfamilie, der Kontrabaß, ist gewissermaßen das Fundament des Orchesters, der feste Grund, auf dem das Gebäude des Klanges ruht. Es ist ein großes, schweres, ein mächtiges Instrument, und die Musiker brauchen viel Kraft, nicht nur um das Instrument zu transportieren — was zum Beispiel in früherer Zeit sehr schwierig gewesen sein muß —, vor allem natürlich, um es zu spielen. Sie müssen es halten, sie müssen weitausholend den Bogen führen, und die andere Hand muß kraftvoll, weit und fest greifen. Ich sehe den Kontrabassisten gern zu, wenn sie spielen, und bewundere ihre Leistung.

Wie mag es sein, wenn man das Spiel auf dem Kontrabaß lernt? Ein Kind kann es nicht sein, das mit dieser schwierigen Kunst beginnt, es könnte das Instrument nicht halten und beherrschen. Ich stelle mir vor, daß die meisten wohl mit einem anderen Streichinstrument angefangen haben und später auf den Baß umgestiegen sind. Wie gesagt, Kraft gehört dazu. Ein Schüler kann auch nicht täglich den Baß vom

Der Riese unter den Streichinstrumenten: der Kontrabaß.

Konservatorium nach Hause und zurück tragen, genausowenig wie aus dem Konzertsaal oder aus dem Orchestergraben der Oper. Also, wie geht das vor sich? Haben sie zu Hause ein zweites Instrument? Doch das muß man sich erst einmal leisten können. Übt ein Musikstudent nur im Konservatorium oder in der Hochschule? Das sind, wie man zugeben muß, recht praktische Fragen, die mich auch bewegen, wenn ich die Bässe spielen sehe und höre.

Am umfassendsten habe ich ihren Einsatz erlebt bei der ›Symphonie fantastique‹ von Berlioz. Und am schönsten ist ihr Auftritt im letzten Satz von Beethovens Neunter. Auch in manchen Opern, wenn es bedrohlich wird, wenn gleich furchtbare Dinge passieren werden; man ist darauf vorbereitet, wenn die Bässe düster im Vordergrund stehen.

Nicht wegzudenken ist der Baß in der Unterhaltungsmusik, in der U-Musik, wie es immer so albern heißt. Kein Tanzorchester, keine Pop- oder Rock-Musik kommt ohne Baß aus; auch wenn es nur ein Trio ist, ein Baß ist dabei. Wahre Virtuosen kann man da beobachten, die mit dem schweren Instrument umgehen, als sei es eine Mandoline, manchmal das Instrument im Kreis wirbeln, streichen, zupfen, klopfen, und die Lust, die ihnen das Spielen auf ihrem Instrument bereitet, sieht man ihnen deutlich an.

Die Bläser

Neben der Familie der Streicher sind die Bläser eine weitere große Familie der Musiker. Dabei unterscheidet man zwischen Holz- und Blechbläsern, je nachdem also, aus welchem Material die Blasinstrumente hergestellt sind.

Auch die Blasinstrumente haben eine lange Geschichte und stammen aus grauer Vorzeit. Die Lippen spitzen und pfeifen, das kann ein Mensch von selbst, und genaugenommen hat man damit schon das erste Blasinstrument. Oder man legt Blätter zwischen die Handballen, man schnitzt aus Weidenruten ein Rohr, wie es Kinder tun, so entstehen Töne.

Welches Blasinstrument nun das älteste ist, welche Form es aufzuweisen hat, wie sie sich ähnlich zum Beispiel auf alten Höhlenzeichnungen oder bei Ausgrabungen finden lassen, ist umstritten. Der erste Flötenspieler ist wohl der Hirtengott Pan. Und ich bin der Meinung, es gibt ihn heute noch. Man setze sich nur einmal in einer sonnenhellen Mittagsstunde an den Rand einer Waldwiese, dann hört man Pan auf seiner Flöte spielen, leise, betörend, verführerisch.

Blockflöte spielen noch heute kleine Mädchen, und falls das Können bescheiden ist, kann man es schwerlich als Genuß betrachten. Dabei hat gerade die Blockflöte eine weit zurückreichende Tradition, im Mittelalter soll sie sehr beliebt gewesen sein, man säuselte schönen Damen eine schmeichelnde, liebliche Weise ins willige Ohr. Zur gleichen Zeit kannte man aber auch schon die Querflöte, die später hauptsächlich militärischen Zwecken diente. Die Landsknechte spielten sie oder ließen sie sich aufspielen, wenn sie zu Felde zogen, und sicher hat auch Grimmelshausen auf ihr geblasen, wirklich oder im Geiste.

Das berühmte Gemälde von Adolph von Menzel
»Das Flötenkonzert zu Sanssouci«.

Bei der Querflöte fällt einem sofort ein Mann ein, der sie vortrefflich gespielt haben soll: Friedrich der Zweite, Preußens großer König. Er verschönte seine seltenen Mußestunden damit. Wohl jeder kennt das berühmte Gemälde von Adolph von Menzel, ›Das Flötenkonzert zu Sanssouci‹. Bekannt ist auch der Name von Johann Joachim Quantz, der am Hofe des Königs den Titel Flötenmeister führte und zahlreiche Stücke für die Flöte geschrieben hat.

Das schönste Flötensolo, das ich kenne, findet sich in der Matthäus-Passion, es begleitet die Sopranarie ›Aus Liebe will mein Heiland sterben‹. Begleitet ist zu wenig gesagt — die Flöte ist der gleichwertige Partner dieses überirdisch schönen Gesanges. Die Begleitung übernehmen zwei Oboen da Caccia.

*

Ähnlich wie die Flöte kann auch die Klarinette klingen, obwohl sie größer ist und mehr Volumen hat. Es kommt auch darauf an, um was für eine Klarinette es sich handelt — es gibt die A-Klarinette, die B-Klarinette, die C-Klarinette; das ist für ein Laienohr schwer zu unterscheiden. Tatsache ist, daß die Klarinette ein sehr wandlungsfähiges Instrument ist: Sie kann hoch singen und tief und traurig klagen, sie kann scharf sein und weich, ernst und heiter, sie kann von einer melodischen Lieblichkeit sein, die kaum von einem anderen Instrument zu übertreffen ist. Ihr Stammvater, besser gesagt: ihre Stammutter ist die Schalmei, das alte Instrument der Hirten, das man schon im Altertum kannte.

Noch einmal sei der ›Freischütz‹ erwähnt. In der Ouvertüre gibt es eine wundervolle Melodie für die Klarinette. Sodann hüte ich einen besonders kostbaren Schatz: eine Aufnahme von Schuberts ›Der Hirt auf dem Felsen‹, gesungen von Erna Berger, nach wie vor die schönste Frauenstimme, die ich je gehört habe.

Die Klarinettistin Sabine Meyer.

Dieser Hymne an den Frühling gibt Schubert nicht nur das Klavier, sondern auch eine Klarinette zur Begleitung. Es ist eine alte, kleine Platte, aber sie klingt noch so schön wie am ersten Tag. Heinrich Geuser heißt der Klarinettist, am Klavier Ernst-Günther Scherzer.

Aufsehen erregte unlängst eine Klarinette, genauer: eine

Klarinettistin. Sabine Meyer heißt die hübsche junge Dame, und Karajan engagierte sie für die Berliner Philharmoniker. Der Kampf, der daraufhin entbrannte, war und ist so unverständlich, weil er sowohl der komischen als auch der ärgerlichen Seite nicht entbehrte.

Die Berliner wollten Sabine Meyer nicht. Wollten sie um keinen Preis der Welt, und es entzündete sich daran ein langer Streit zwischen ihnen und dem Maestro.

Nun erwähnte ich schon, daß die großen Orchester früher überhaupt keine Frauen vor ihren Notenpulten duldeten, und am längsten und am hartnäckigsten wehrten sich dagegen die Wiener und die Berliner Philharmoniker. Ich maße mir darüber kein Urteil an. Wenn sie keine Frauen im Orchester haben wollen, dann wollen sie eben nicht. Sie mögen ihre Gründe haben, Gründe, die sich zweifellos nicht auf das fachliche Können beziehen. Die Abwehrhaltung gegenüber Frauen in gleichrangigen Positionen finden wir ja nicht nur im Musikleben, die gibt es auch in den meisten anderen Berufen. Irgendwie können es Männer immer noch nicht ertragen, daß Frauen das gleiche tun wie sie, das gleiche leisten. Ein wesentliches Argument besteht auch darin, daß Frauen Kinder kriegen. Dann fängt die Sucherei wieder von vorn an. Beziehungsweise, so sagen Männer, sie hat zwar den Posten, aber anderes im Kopf. Womit sie nicht immer so ganz unrecht haben.

Die herausragende Frau, die mehr leistet, die eine über der Allgemeinheit stehende Position einnimmt, ist ein anderer Fall. Sie darf. Kein Musiker hat etwas dagegen, wenn Martha Argerich am Flügel sitzt oder Anne-Sophie Mutter ein Violinkonzert spielt. Nur eben nicht mitten im Orchester, unter uns Männern, nee. Wenn ich allerdings recht gesehen habe, sitzt bereits eine Geigerin im Orchester bei den Berlinern. Warum also durfte Sabine Meyer nicht?

Ich hörte sie übrigens in Salzburg, mit den Berlinern, unter Karajan, in der Sechsten von Tschaikowsky. Sie blies das Klarinettensolo wundervoll; weich, rund, beseelt. Man konnte Karajan selbst von hinten ansehen, wie zufrieden er mit ihr war.

Inzwischen ist sie von sich aus gegangen, hat den feindseligen Kreis der illustren Männergesellschaft verlassen. Sie gibt jetzt Konzerte und wird überall gefeiert.

*

Wenn das berühmte Adagio von Tommaso Albinoni mit der Solo-Oboe ertönt, ist man geneigt zu vergessen, daß hier einer mit gepreßten Lippen und angespannter Lunge auf einem Doppelrohrblatt den Ton bildet.

Da man dabei nur wenig Luft loswerden kann, aber einen hohen Druck erzeugen muß, ist das Blasen der Oboe ausgesprochen anstrengend. Die Spieler schaben und schnitzen meist selbst an ihren Mundstücken herum, und jeder trägt stets mehrere Exemplare in einem wohlgehüteten Kästchen bei sich.

Das Instrument besteht aus einem verzierten gedrechselten Holzrohr mit einem birnenförmigen Kopfstück, wie es ähnlich schon die alten Ägypter kannten. Die Griechen nannten es Aulos, die Römer Tibia.

Bei uns sucht man den Vorgänger am besten wieder in der schon erwähnten Schalmei, auch gab es noch ein tiefer klingendes Instrument namens Bomhart oder Pommer.

Die weitere Entwicklung fand in Frankreich statt; zuerst nannte man das Instrument Musette, schließlich Hautbois. Woraus Oboe wurde.

Lange Zeit war der Ton der Oboe scharf und spitz, erst die Verfeinerung des Instruments brachte den schmelzenden, modulationsreichen Ton. Eine Entwicklung, die gerade zurechtkam, um Bach zur vielfältigen Verwendung der Oboe anzuregen. Über dem Eingangschor der Johannes-

Passion schwebt der Diskant der Flöten und Oboen, in der h-moll-Messe begleiten zwei Oboen d'amore die Altarie »Qui sedes ad dexteram patris«. Und mit großer Eindringlichkeit umrahmt eine Oboe die Baßkantate »Ich habe genug«, eine christliche Betrachtung des Lebensendes.

Natürlich darf ein Sternenmoment der Musik nicht vergessen werden: die Überreichung der silbernen Rose im ›Rosenkavalier‹ von Richard Strauss. Darüber schwelgt im süßesten Pianissimo eine Oboe.

*

Ein Instrument, das etwas größer ist, etwas tiefer gestimmt als die Oboe, aber sonst ihr sehr ähnlich, ist das Englischhorn – was verwirrend ist, denn mit dem richtigen Horn, das ja zu den Blechbläsern gehört, hat es nichts zu tun. Das Englischhorn klingt traurig, melancholisch, wehmütig. Englischhorn bläst der Hirt im letzten Akt von ›Tristan‹, den Kurwenal beauftragt hat, aufs Meer hinauszublicken und sofort das Nahen eines Schiffs zu melden. Aber weit und öde liegt das Meer, das Schiff ist nicht zu sehen, in dem Isolde dem todwunden Tristan Rettung bringen soll. Darum erklingt die trostlose Weise des Englischhorns vom Felsen. Wenn das Schiff dann wirklich kommt, hört man eine Trompete. So raffiniert setzte Wagner die Blasinstrumente ein.

*

Da die Holzbläser natürlich auch etwas im Baß, etwas Tiefes und Gewaltiges, haben müssen, bekamen sie das Fagott: ein großes Instrument, in jedem Orchester gut zu erkennen. Noch tiefer ist das Kontrafagott, das mit seiner Länge aus dem Orchester herausragt.

Die feinen Töne der Oboe verlangen höchste Anstrengung.

Kommen wir zu den Blechbläsern und beginnen mit einem Instrument, von dem man immer annimmt, es sei etwas ganz Modernes: das Saxophon. Ein Mann namens Adolphe Sax hat es in den dreißiger Jahren des vorigen Jahrhunderts in Paris aus der Baßklarinette entwickelt, und da er offenbar nicht ganz zufrieden damit war, kam er auf die Idee, daß seine Schöpfung doch besser nicht aus Holz, sondern aus Metall gefertigt werden sollte. Er wählte eine Silberlegierung. Damit war also wieder einmal ein neues Instrument geboren, und Sax gab dem Kind seinen eigenen Namen, eben Saxophon.

Richtig heimisch wurde das Saxophon weder im Konzertsaal noch in der Oper, jedenfalls seinerzeit nicht. Hier und da taucht es in neuen Opern unseres Jahrhunderts auf.

Eine strahlende Karriere jedoch begann für das Sax, wie man es abgekürzt nennt, als in New Orleans zu Beginn unseres Jahrhunderts die große Stunde des Jazz anbrach.

*

Die Trompete ist das sieghafte Instrument des Jubels, der Pracht, der Könige und Kaiser. Auch des Krieges. Trompeten kannten schon die Ritter des Mittelalters, und die moderne Militärmusik kann ebensowenig auf sie verzichten. Auch in Oper und Konzert sind sie unentbehrlich, wenn es heroisch, glanzvoll, sieghaft wird. Wie befreiend ist das Trompetensignal im ›Fidelio‹, das das Nahen des Ministers und damit Leonores Sieg und Florestans Rettung ankündigt. Und wie beglückt ist der Zuhörer, denn nun kommt gleich der Höhepunkt, dem er schon den ganzen Abend entgegenfiebert: die Leonore III. Wer auf die fabelhafte Idee kam, die dritte Leonorenouvertüre als eine Art Zwi-

Der letzte Akt von »Tristan und Isolde«. Regie und Bühnenbild: Jean Pierre Ponnelle; Bayreuth 1981.

Oben: Auch er ein Unsterblicher: der Jazztrompeter Louis Armstrong.
Rechts: Freddie Brocksieper mit seiner Band.

schenmusik vor dem letzten Bild zu verwenden, der verdient, daß man auch über ihn in den Jubel einstimmt. Ich habe das noch mit Karl Böhm am Pult erlebt, nicht nur einmal, und das ist auch wieder etwas, was man nie und nie vergessen kann.

Die Trompete ist ein unglaublich strahlendes Instrument in den Händen eines Meisters, Maurice André zum Beispiel, dessen Barocktrompete kürzer ist und schärfer im Klang; es ist die Trompete, die Bach verwendete.

Ein großer Künstler auf seiner Trompete war der unvergessene Satchmo, der große Louis Armstrong. Und schließlich muß man noch an das Trompetensolo in dem Film ›Verdammt in alle Ewigkeit‹ denken, ein ganz anderer

Klang wieder, der einen jedoch mitten ins Herz trifft, wundersam weich geblasen, sehnsuchtsvoll.

*

So ziemlich am schwierigsten zu spielen ist das Horn. Auch dieses Instrument hat eine lange und höchst verwickelte Geschichte, bis es zu dem wurde, was wir heute hören und sehen. Da es ursprünglich ein sehr einfaches Instrument war, auf dem sich nur ein paar Ganztöne blasen ließen, hatte man in der Kunstmusik keine Verwendung dafür. Doch wieder kam es zu einer langwierigen Entwicklung, und das ist ja das Interessante, geradezu Aufregende am ganzen Instrumentenbau, daß es immer wieder Menschen gab, die sich den Kopf darüber zerbrachen, was sich wohl aus einem geblasenen, gestrichenen, gezupften Stück Holz oder Blech eventuell noch machen ließe, was man daran verbessern, verschönern, veredeln könnte, um wirklich Musik damit zu machen. Das geht bis in alte Zeiten zurück, und es kam zu einer geradezu rasanten Entwicklung in jenen schöpferischen Jahren des 17. bis 19. Jahrhunderts, in denen ja auch die schönste Musik geschrieben wurde. Komponisten, Musiker und Instrumentenbauer müssen sich da gegenseitig befruchtet haben.

Wie armselig ist dagegen unsere Zeit, der zum Thema Musik nichts anderes einfällt als nervtötender Lärm und Gegröle und in der statt wohlklingender Instrumente nur so ein Ungeheuer erfunden wurde wie der Verstärker, der nichts anderes fertigbringt, als die vorhandenen Instrumente zu einer Belästigung für jedes musikalische Ohr zu machen.

Die verschiedenen Entwicklungsstufen des Horns zu beschreiben würde zu weit führen, es genügt, an seine Vorfahren zu denken. Da ist einmal das Jagdhorn. Das gibt es heute noch; wenn Jäger zur Jagd aufbrechen, wird es geblasen,

Günther »Justav« Böhm, Berlins einziger Postillion, der zu festlichen Anlässen in einer alten Postkutsche und in voller Dienstmontur von 1880 durch die Stadt kutschiert.

und am Ende des Tages wird die Strecke verblasen, wobei man für jede Tierart ein bestimmtes Signal hat. Daraus wurde dann das Waldhorn, vielseitiger in den Ausdrucksmöglichkeiten, und schon haben die Komponisten aufgehorcht. Wenn es sich irgendwo um Wald und Jagd handelt, bläst das Horn nun im Orchester mit, bei Bach, Haydn, Mozart,

Die Hornisten spielen in Opern oft dramaturgisch wichtige Partien.

oft bei Beethoven und selbstverständlich auch in Webers ›Freischütz‹. Im 19. Jahrhundert kam man auf die Idee, in das gewundene Rohr Ventile einzusetzen, und auf einmal klingt das Horn so schön und melodisch wie nie zuvor, weil die Ausdrucksskala sich erweitert hat. Man hat dann, ohne falsche Pietät, auch bei Beethoven entsprechende Änderungen in den Partituren vorgenommen.

Ein anderer Ahne ist das Posthorn, für uns heute nur noch eine romantische Vorstellung. Der Postillion, hoch oben auf dem Bock seiner Postkutsche, treibt die Pferde noch einmal an und bläst dabei ins Horn, um seine Ankunft anzumelden. Dabei fällt einem natürlich wieder einmal Schuberts ›Winterreise‹ ein, in der ein Lied so beginnt: »Von der Straße her ein Posthorn klingt. Was hat es, daß es so hoch aufspringt, mein Herz, mein Herz?« Adolphe Adam hat sogar eine ganze Oper über einen Postillion geschrieben, ›Der Postillion von Longjumeau‹, die ich leider nie gesehen habe. Ich kenne nur die bravouröse Tenorarie daraus, ein Zuckerstück für einen Sänger, der über ausreichend hohe Töne verfügt.

Brahms, Bruckner und natürlich Wagner setzen die Hörner vielfältig ein, weil sie um die Wirkung wissen. Und Hornisten wissen ihrerseits ganz genau, wie wichtig ihre Rolle im Orchester ist, denn überhören kann man sie nicht, und oft haben sie dramaturgisch wichtige Partien zu spielen.

Richard Strauss zum Beispiel hatte eine sehr enge Beziehung zum Horn, was nicht weiter verwundert, denn sein Vater war Hornist bei der Münchner Königlichen Oper. Wie oft mag der kleine Richard dem Horn gelauscht haben. In der bezaubernden Tondichtung ›Till Eulenspiegel‹ spielt das Horn gewissermaßen die Rolle des Titelhelden. Und im ›Rosenkavalier‹ erklingt es im ersten Takt der ganzen Oper, ein Motiv, das einem tagelang nicht aus dem Ohr geht, wenn man es gehört hat. Und ich sehe dazu noch Carlos Kleiber vor mir, wie er den Arm hochreißt in seiner ganz persönlichen Art und Weise, unverwechselbar ist diese Bewegung.

Ich habe eine ganz persönliche Beziehung zum Horn, genauer: zu dem dritten Hornkonzert in Es-Dur von Mozart. Als wir seinerzeit meinen Film über Ostholstein, ›Wasser ist hier überall‹, abgedreht hatten, tauchte die Frage auf, welche Musik man unterlegen solle. Eine kluge Tonmeisterin des ZDF schlug vor, eben dieses Hornkonzert zu nehmen. Das kam mir erst abwegig vor: Mozart und Holstein – das schien mir nicht zusammenzupassen. Nun, es paßte vortrefflich. Das Larghetto aus diesem Konzert mit seinen vollen getragenen Tönen entsprach ganz und gar der Schönheit und Harmonie der ostholsteinischen Landschaft.

Höchst erstaunt war ich, als ich einige Zeit später, der Film war schon gesendet worden, wieder einmal versuchte, in meinem Plattenschrank so etwas Ähnliches wie Ordnung herzustellen, damit ich möglicherweise finden könnte, was ich suchte, falls ich etwas suchte. Und was fand ich? Eine Aufnahme der vier Hornkonzerte von Mozart – Karl Böhm, die Wiener Philharmoniker, Gustav Högner als Solist.

*

Die Posaune ist jenes Instrument, bei dem der Musiker immer mit dem Rohr ein- und ausfährt. Auch dies ist eine geniale Erfindung, denn bekanntlich muß ein Instrument um so größer sein, je tiefere Töne es erzeugen will. Wollte man nun den tiefen, mächtigen Klang der Posaune mit einem gestreckten Rohr erzeugen, so müßte das zwei bis drei Meter lang sein. Die Biegung und die Beweglichkeit des Rohres bringt die Tiefe, ohne daß das Instrument zu unhandlich wird. Ganz früher hieß es Bucina oder Busine, wie man sieht, ist das Wort Posaune ohne große Umwege daraus entstanden.

Wenn es in der Musik feierlich wird, eindringlich, gewaltig, dann hört man die Posaune.

Zu allererst denkt man allerdings an die Posaunen des Jüngsten Gerichts, von denen in der Bibel die Rede ist. Gut vorstellbar, daß sie bei dieser Gelegenheit ertönen werden. In der Apokalypse wird von sieben Engeln mit sieben Posaunen gesprochen, deren jede einen Teil dieser Erde zum Einsturz bringt. Fast erinnert diese Stelle an die moderne Bedrohung durch die Kernwaffen.

Besonders große Momente der Posaune gibt es bei Mozart, zum Beispiel immer dann, wenn Sarastro Auftritt hat. Und im ›Don Giovanni‹ beim Erscheinen des Komturs.

Und dann natürlich wieder einmal Wagner, der große Zauberer: Wolframs Lied an den Abendstern wird begleitet von Posaunen, ganz zart geblasen, von der Baßtuba, die noch tiefer liegt, ein wenig Harfe dazwischen. Auch das ist wieder eine mir von Kindheit an vertraute Melodie, es war das Lieblingslied meines Vaters. Bei seiner Beisetzung wurde es gespielt, und zwar auf einem Violoncello. Doch bei jeder ›Tannhäuser‹-Aufführung kommen mir immer noch an dieser Stelle Tränen. Ach, überhaupt der ›Tannhäuser‹ — warum kann man das alles nicht öfter hören, warum sind unsere Opernhäuser so armselig in ihrem Angebot geworden, warum haben sie nicht alle diese Opern im Repertoire, wie es früher ganz selbstverständlich war. Jetzt bleibt als einzige Rettung nur Bayreuth, wenn man Wagner erleben will.

Die Posaune begleitet auch Tristans schmerzliche Todesvision, und dann natürlich Wotan, die von mir am meisten geliebte Opernfigur. Das Wotansmotiv wird von der Posaune geblasen, und am Schluß der ›Walküre‹ erklingt sie noch einmal, wenn Feuer den Felsen und das kühne, herr-

Der Klang der Posaune ist feierlich, eindringlich, gewaltig.
(Von links: Branomir Slokar, Ronald Barron, Michel Becquet)

liche Kind umlodert, wenn Wotan einsam und seiner Gott-
heit überdrüssig auf der Bühne steht, zu seinen letzten
Worten: »Wer meines Speeres Spitze fürchtet, durchschrei-
te das Feuer nie.«

Allzuviel habe ich nicht dagegen, diese Erde zu verlassen,
unwillig kann man eigentlich nur noch die Welt von heute
ertragen. Aber zu denken, daß man tot ist und dies nie wieder hören wird, das könnte mir das Sterben schon verlei-

den. Aber wer weiß, vielleicht hört man es doch. Es wäre so meine Vorstellung von einem besseren Jenseits, von einem Paradies, falls ich mir dies verdient hätte, daß alles, was in diesen Zeilen zuvor erwähnt wurde und noch vieles, vieles andere dazu, in jenem Paradies zu hören ist, so oft man will.

Noch tiefer als die Posaune liegt die Tuba. Sie war zwar schon den Römern bekannt, kam aber erst im vorigen Jahrhundert, durch die Militärmusik, ins Orchester. Sie ist groß und gewaltig und überragt alle anderen Instrumente. Wagner genügte eine gewöhnliche Tuba nicht, es mußte eine Baßtuba sein, zu deren schleifenden tiefsten Tönen Fafner, der Lindwurm, aus seiner Höhle kriecht, um alsbald von Siegfried mit Notung, dem neidlichen Schwert, niedergestreckt zu werden. Und da dies immer noch nicht ausreichend war für Wagner, erfand er selbst ein Instrument, die Wagner-Tuba. Anton Bruckner übernahm sie von ihm, sie erklingt an besonders weihevollen Stellen seiner Symphonien.

Noch ein Wort zur Posaune. Ich kenne einen großen Meister, der sie wundervoll geblasen hat: Tommy Dorsey in seinem Orchester; das war in den fünfziger Jahren, zur Boogie-Woogie-Zeit. Es hörte sich an wie Samt und Seide, wenn Tommy Posaune spielte. Und tanzen ließ sich auch hervorragend dazu.

Paukenschlag

Nun zu den Schlaginstrumenten, den Pauken, Trommeln, Becken, Kesselpauken und was es alles gibt, was man nicht streicht oder bläst, sondern schlägt. Man könnte sagen, sie sind der Ursprung aller Instrumente. Den größten Einsatz für Schlaginstrumente, an den ich mich erinnere, bietet wieder einmal Berlioz' ›Symphonie fantastique‹: überwältigend, was da alles auf dem Podium zu sehen ist.

Für gewöhnlich ist es die Pauke, die in einem Orchester am meisten verwendet wird, und es ist immer spannend zu beobachten, wenn der Paukist seinen Einsatz hat. Da sitzt er, manchmal lange, ohne etwas zu tun zu haben, und plötzlich bückt er sich, hat den Schlegel in der Hand, dann hebt er ihn, dann schlägt er zu. Und zwar auf vielerlei Weise, man denke nicht, die Pauke sei ein leicht zu spielendes Instrument und klinge immer gleich. Keineswegs, sie kann vom starken Forte bis zum weichsten Piano gespielt werden, sie hat so viele Ausdrucksmöglichkeiten, daß ich mich immer wieder verwundert frage, wie es möglich ist, diesen Tonreichtum zu erzeugen durch ein gespanntes Fell und einen Gegenstand, der darauf schlägt. Unnötig zu erwähnen, wann und wo man eine Pauke hört: eigentlich überall, wenn es sich nicht um ein reines Kammer- oder Streichorchester handelt. Haydn hat ja sogar eine Symphonie geschrieben mit dem Titel ›Die Symphonie mit dem Paukenschlag‹. Trommel, Becken, Pauke spielen eine große Rolle natürlich in der Militärmusik, wobei sich große Künstler beobachten lassen, man denke nur an den Mann auf dem Pferd mit den beiden Kesselpauken rechts und links.

All diese Schlaginstrumente und noch ein paar dazu sind unabdingbare Notwendigkeit in der Unterhaltungsmusik,

Konzentration auf den entscheidenden Paukenschlag.

wo sie unter dem Namen Schlagzeug bekannt sind. Einer
der größten Meister am Schlagzeug, den ich je gehört habe,
ist Freddy Brocksieper. Wenn er, aller Welt entrückt, sein
Schlagzeug bearbeitet, bleibt einem der Mund offenstehen.

Dezente Musik

Elektronische Instrumente – ich kenne sie, ich höre sie, aber offen gestanden, es fehlt mir jede Ahnung davon, wie so etwas funktioniert.

Sind es überhaupt Musikinstrumente? Es werden Kontakte bedient, elektrische Kreise geschlossen, dazu kommen noch Verstärker, die einem das Ohr volldröhnen. Das röhrt dahin, von Musik kann man eigentlich nicht reden.

Aber dann erlebt man folgendes: In einem bekannten Wintersportort in der Schweiz gibt es eine kleine Bar. Die Decken sind tief gewölbt, weil das Ganze im Keller liegt. Kerzen auf den Tischen, es ist gemütlich, harmonisch. Und das, obwohl an einer Mittelsäule so ein elektronisches Ding steht mit einigen Lautsprechern und Tastaturen.

Da spielt auch einer. Aber wie! Es ertönt dezente Musik von hoher Qualität, keine Nuance wird vergessen, ein gekonntes Jazzpiano, dann Gesang, nicht laut, aber verständlich, mit Schwung und Rhythmus. Wenn er englisch singt, kann man das verstehen wie bei Bing Crosby. Er grölt nicht nur etwas ins Mikrophon, was er für englisch hält. Ein kleiner Mann im Dinnerjacket. Ein Herr, genau betrachtet. Und ein Meister seines Fachs, wenn man Ohren hat zu hören.

In der Pause ergibt sich Gelegenheit zu einem Gespräch, und man erfährt, daß die Musik von Jugend an sein Leben begleitet hat. Er hat sich selbst alles erspielt, alle Passagen und Varianten. Drei Ziehharmonikas hat er im Laufe der Zeit durchgespielt... Er nimmt sich auch nicht wichtig, seine Darbietung gefällt, das genügt ihm.

Ein interessantes Detail: alle Tasten sind Akkordeonknöpfe, weil er dieses Instrument eben am besten be-

*Auch ein elektronisches Instrument kann durchaus
musikalischen Genuß vermitteln.*

herrscht. Wo das nicht von vornherein so zu haben war, hat
er sich das Instrument umbauen lassen.

Dann ist die Pause zu Ende, es tönt wieder, harmonisch,
rhythmisch, mit Geschmack und musikalischem Gefühl. Die
teure französische Band im Pöstliclub von gestern kann man
getrost vergessen mit ihrem Krach. Hier spielt einer, der es kann.

Das Orchester

Alle Instrumente zusammen bilden das Orchester. Wer darin einen Platz finden will, muß ein Könner, ein Künstler sein. Und noch einmal: wieviel Arbeit, wieviel Ausdauer gehören dazu, um diesen weiten Weg zu gehen, um Mitglied eines angesehenen Orchesters zu werden, die Fähigkeit zu haben, jenen Klang herbeizuzaubern, der aus einer Symphonie emporsteigt und uns in eine ›bessere Welt entrückt‹, wie es ein Schubertlied ausdrückt. Ich liebe sie alle, wenn sie aufs Podium kommen, in Salzburgs Großem Festspielhaus beispielsweise, und vom Publikum mit Applaus empfangen werden, noch ehe der erste Ton erklungen ist.

Und so intensiv man auch zu Hause, bequem liegend oder sitzend, ein Konzert genießen kann, im Radio oder auf Platte, mag ich es lieber, wenn ich den Musikern auch zu*sehen* kann. Ich möchte den Einsatz eines bestimmten Instrumentes erkennen, welche Passagen von welchen Instrumenten gespielt werden, und ich möchte auch sehen, wie viele und welche Instrumente an einem Forte oder bei einem Tutti beteiligt sind. Manchmal ist es schwer, das in der Flut der Töne genau zu ermitteln. Im Konzertsaal geht es, in der Oper ist es meist unmöglich. Wenn es nach mir ginge, würde ich immer in einer der Proszeniumslogen sitzen. Und so herrlich das versenkte Orchester in Bayreuth klingt, so wohltuend es für die Stimmen der Sänger ist und so angenehm für die Musiker, die in der Sommerhitze in Hemdsärmeln spielen können, mir fehlt einfach etwas, wenn ich sie nicht sehen kann. Nicht einmal der Dirigent ist zu erblicken, das ist schon hart.

Denn sonst sieht man wenigstens ihn, den Maestro am Pult. Allerdings ja auch nur von hinten. Es gibt günstige

Die Münchner Philharmoniker, dirigiert von Sergiu Celibidache.

Plätze, da kann man sein Profil, seine Hände sehen, das ist schon besser.

Sawallisch erlebte ich einmal in Puccinis beiden Einaktern ›Der Mantel‹ und ›Gianni Schicchi‹, und zwar von einem höchst prächtigen Platz aus, erste Reihe, etwas schräg hinter dem Pult, geradezu ideal. Und was passierte? Da saß doch einer neben mir, in Richtung Dirigenten-Pult, der empfand ähnlich wie ich, nur konnte er es nicht über sich bringen, gerade auf seinem Sessel sitzen zu bleiben, wobei wir beide, er und ich, den besten Blick auf den Dirigenten gehabt hätten. Nein, er beugte sich weit vor, als wolle er gleich aufs Pult springen, und versperrte mir daher die Sicht. Ich blickte ihn mehrmals tadelnd von der Seite an, er merkte es gar nicht, ich stupste mit dem Ellbogen — vergeblich. In der Pause sagte ich zu ihm: »Und wenn Sie Puccini selber sind, könnten Sie sich nicht gerade hinsetzen? Sie verpatzen mir den Blick und Ihrem Hintermann vermutlich auch.«

Der Nachbar blickte mich erstaunt an, er begriff gar nicht, daß ich ähnliche Gelüste hatte wie er. Der Blick auf die Bühne war ja frei. Nach der Pause setzte er sich einige Male gerade hin, dann vergaß er es wieder.

So ist es eben, Hingabe nicht nur im Orchester und auf dem Pult, Hingabe auch beim Publikum.

Verständnis für das Genie

Der Dirigent — er ist der Gott, der das Wunder vollbringt. Oder sind es die Musiker, der Chor, die Solisten? Sie sind es alle gemeinsam, sie gehören zusammen, und nochmals, auch wenn ich mich wiederhole: es ist mühevolle Arbeit und unermüdlicher Fleiß, der das Wunder erschafft. Kunst kommt von Können, wenn sie von Wollen käme, hieße sie Wulst, hat jemand mal gesagt, und das stimmt genau.

Oder ist es nicht doch an erster und wichtigster Stelle der Komponist, der die Musik gemacht hat, die ich höre? Ohne ihn wäre die Musik nicht da.

Das ist richtig, aber dennoch muß der Mann am Pult die Noten, die auf dem Papier stehen, zum Leben erwecken, muß aus den Menschen, die vor ihm an den Instrumenten sitzen, eine homogene Gemeinschaft machen, ein einziges Instrument gewissermaßen, sein klingendes Instrument.

Aus diesem Verständnis heraus kommt wohl die überschwängliche Verehrung, die man den großen Dirigenten entgegenbringt, einst wie jetzt. Wahrscheinlich heute mehr denn je.

Man kann vielleicht einen Grund darin finden, daß in unserer nivellierten und nivellierenden Gesellschaft dem Mann am Pult deswegen soviel Verehrung und Bewunderung entgegengebracht wird, weil er — und ich bin geneigt zu sagen: als einziger — in unserer Zeit eine Autorität ist. Und zwar eine anerkannte, uneingeschränkte, absolute Autorität. Wäre er das nicht, könnten Konzertsäle und Opernhäuser schließen. Aber er ist es, er darf es sein, er muß es sein, was keinem Politiker, keinem Wirtschaftsboß, keinem Wissenschaftler, keinem anderen Künstler mehr genehmigt wird. Denn von zwei Seiten her wird jedwede Autorität untergraben: einmal von einer ahnungslosen Masse, der man das einredet und die sowieso nie weiß, was sie tut und was sie will, und zum anderen von jener Spezies Mensch, die man mehr oder weniger geringschätzig Intellektuelle nennt, wobei natürlich der Begriff — das, was er wirklich bedeutet! — entwertet, wenn nicht gar verfälscht wird. Doch die, die sich so nennen, sitzen in allen Medien, sie schreiben Bücher, Kritiken, Zeitungsartikel, Magazinbeiträge, blähen sich auf dem Bildschirm auf, machen sich wichtig in Interviews, sie haben eine gewisse Anhängerschaft, die nachplappert, was ihr vorgeschrieben wird. Nichts kann so wertvoll sein, daß sie es nicht mit Füßen treten; auch jene Männer am Pult sind vor ihnen nicht sicher, nicht gefeit gegen ihre dümmliche Arroganz. Nicht die großen Künstler, die Unsterbliches geschaffen haben.

Es ist eine spezielle Mode von heute, in Theaterstücken, Filmen oder Fernsehsendungen die großen Männer lächerlich zu machen, sie in den Augen der Menschen, die ähnliches gar nicht hervorbringen können, herabsetzen zu wollen. So geschehen in jüngster Zeit mit Mozart, so immer wieder und seit langem geschehen mit Wagner, um nur zwei Beispiele zu nennen.

Es ist doch so ziemlich das dümmste Argument, das sich gegen Richard Wagner vorbringen läßt, daß Hitler gelegentlich nach Bayreuth fuhr und sich eine Vorstellung ansah, daß er die großartige Winifred verehrte. Wagner gab es schon lange vor Hitler, jener hat diesen nicht erfunden. Und Winifred Wagner hat ein großes Erbe übernommen, das sie in schwerer Zeit mit Bravour verwaltet hat. Sollte sie das Festspielhaus anzünden, nur weil Hitler manchmal darin gesessen hatte? Es ist so typisch deutsche Wesensart, alles, was gut ist in diesem Land, zusammen mit dem Schlechten in einen Sack zu stecken und auf allem herumzutrampeln.

Auch Komponisten sind Menschen, mit allen Fehlern, Schwächen, Untugenden, Lächerlichkeiten, Banalitäten, die menschliches Leben mit sich bringt. Ihre Gefühle bestehen nicht nur aus Liebe und Güte, sie können und dürfen boshaft, gemein, neidisch, grob, unduldsam, überheblich, widerwärtig sein, sie leben ja in einem ganz anderen Spannungsfeld, also können und müssen sie ihre Gefühle auch abreagieren. Das gestehe ich ihnen zu. Das berührt ihr Genie jedoch nicht im geringsten, diese Auszeichnung, die Gott ihnen verliehen hat.

Mag Mozart alberne Briefe geschrieben haben, mag er manche Torheit begangen haben — was besagt das schon? Er war jung, er besaß ein heiteres Gemüt, aber er war auch erfüllt von der Schwere und Dunkelheit, von der Last seines Genius', gequält von der Schwierigkeit seiner Existenz. Über einen, der den ›Don Giovanni‹ schrieb, die ›Zauberflöte‹, die g-moll-Symphonie, will ich keinen Film sehen, der ihn lächerlich macht.

Wir wissen von Nöten und Krankheiten der großen Musiker, von Trunkenheit, Wollust, Gier, von Lug und Betrug — ich sage dennoch: Na und? Das Menschsein bannte sie in den Staub der Erde, an das Wurmdasein aller Menschen. Was sie darüber erhob, das haben nur sie, die anderen haben es nicht.

Auch die großen Meister am Pult sind vor üblen Angriffen nicht sicher, schon gar nicht in unserer kleinkarierten Zeit der Voyeure, die so gern alles in den Dreck zieht, ganz abgesehen davon, daß die Medien täglich gefüttert werden müssen, und womit ließen sie sich besser füttern als mit Angriffen gegen große Zeitgenossen. Offenbar nimmt man an, das freut den kleinen Mann.

Vor einiger Zeit sah ich eine Fernsehsendung, die sich wieder einmal an Herbert von Karajan vergreifen wollte. Wollte, sage ich, denn ihm kann es egal sein, er steht darüber, die kleinen Kläffer wuseln tausend Klafter tief unter seiner Fußsohle. Diejenigen, die ihn verehren, können sich schlimmstenfalls darüber ärgern, meiner Ansicht nach aber fällt es auf diejenigen zurück, die so etwas produzieren.

Es ging wieder einmal um Salzburg, um die sogenannte elitäre Gesellschaft, die das Festspielhaus besucht; natürlich sind es nur ganz, ganz reiche Leute, vornehmlich aus der Bundesrepublik, und von Musik haben sie sowieso keine Ahnung, nur aus Angabe finden sie sich in Salzburg ein. Um zu dokumentieren, was für Scheusale das Festspielhaus bevölkern, hatte man ein Dutzend obermieser, fetter Wänste zusammengeholt, die man nun immer wieder vor einer verzerrenden Kamera vorbeitrieb, und auf die Straße setzte man brüllende Demonstranten, das sollten wohl die sein, die mangels Moneten nicht ins Festspielhaus hineinkamen. Das war kurz nach den Osterfestspielen, ich war selber dort und kann bezeugen: diese Aufnahmen waren getürkt, der ganze Film eine schäbige Lüge.

Zusätzlich wurde auf Karajan herumgehackt, weil er mit seinen Platteneinspielungen so wahnsinnig viel Geld verdiene. Nochmals: Na, und? Er würde die Aufnahmen nicht machen, wenn die Nachfrage nicht bestünde. Wer nicht will, braucht sie ja nicht zu kaufen. Ich kaufe mir auch keine Platten von irgendwelchen knatschigen Mikrofongrölern. Andere dagegen ja. Das kann doch jeder machen, wie er will. Warum dann so einen Film, den ich ganz klar und eindeutig als Volksverhetzung betrachte. Man zeigte dazu Schaufenster von Salzburgs Geschäften, in denen Karajans Bilder ausgestellt waren. Nicht nur seine, auch die Bilder anderer Künstler kann man da sehen. Und um den Schwachsinn komplett zu machen, war das Ganze noch mit Musik aus Lortzings ›Wildschütz‹ garniert, den man in Salzburg gar nicht aufführt. Lortzing hat es nicht verdient, daß man ihn auf diese Weise mißbraucht. Der Durch-

Herbert von Karajan

schnittsmensch sollte dankbar sein für die wenigen Genies, die das Leben, unser Leben, verschönen. Dazu gehört es auch, Verständnis für ein Genie zu haben.

Davon abgesehen, möchte ich dem Fernsehen ein großes Kompliment machen, weil es immer öfter gute Opernaufführungen überträgt, teilweise selbst produziert. Das ist für diejenigen, die aus Geld- oder Zeitmangel, aus Gesundheits- oder anderen Gründen nicht nach Salzburg und Bayreuth, nicht nach Verona, nach Mailand oder zur Met fah-

Ein einzigartiges Bilddokument: die berühmtesten Dirigenten ihrer Epoche auf einem Foto. Von links nach rechts: Bruno Walter, Arturo Toscanini, Erich Kleiber, Otto Klemperer und Wilhelm Furtwängler.

ren können, ein großer Gewinn. Ich kann es auch nicht, und ich freue mich, eine ›Tosca‹ aus der Met oder die ›Meistersinger‹ aus Zürich zu sehen und zu hören.

Die meisten der großen Meister am Pult, die heute berühmt sind, habe ich im Laufe der Jahre selbst erlebt. Sie sind bekannt, es erübrigt sich, sie einzeln zu rühmen. Einiger großer Namen der Vergangenheit möchte ich jedoch gedenken, von denen man gehört und gelesen hat: Franz Nikisch zum Beispiel, das Leipziger Gewandhausorchester und die Berliner Philharmoniker waren seine Orchester; Arturo Toscanini, der geradezu eine Legende ist; Erich Kleiber, Furtwängler, Clemens Krauss, Knappertsbusch, sie habe ich noch gehört. Einen allerdings habe ich knapp versäumt: Bruno Walter. Er muß nicht nur ein großer Dirigent, sondern auch ein wunderbarer Mensch gewesen sein: das geht aus dem hervor, was über ihn geschrieben worden ist, aber auch aus dem, was er selbst geschrieben hat über sein Leben und seine Arbeit.

Günther Ramin fällt mir ein, als Thomaskantor später Nachfolger auf dem Platz von Johann Sebastian Bach, Organist, Dirigent, Komponist wie sein großer Vorgänger. Geht man ein Stück weiter zurück, denke ich an Hans von Bülow, Cosimas ersten Mann, zugleich Wagners Freund, der den ›Tristan‹ und die ›Meistersinger‹ uraufgeführt hat.

Richard Strauss und Gustav Mahler waren ebenso hervorragende Dirigenten wie Komponisten.

Meine erste ›Arabella‹! Ich weiß nicht mehr, wie alt ich war, ich weiß nur, daß ich weinte, trotz des Happy-Ends, so tief bewegt war ich. ›Die Frau ohne Schatten‹ lernte ich erst relativ spät kennen, und in vierzehn Tagen sah ich sie dreimal hintereinander, um sie einigermaßen zu begreifen. Die schönste Aufführung, die ich erlebt habe, war unter Karl Böhm in Salzburg, in einer sehr gelungenen Inszenierung von Günther Rennert, der mit großem Geschick die Bühne des Festspielhauses für Bühnenbild und Regie nutzte.

Eine andere unvergeßliche Aufführung war Karajans ›Salome‹ mit Hildegard Behrens und José van Damm, die jede andere Inszenierung dieser Oper übertraf, und das will was heißen, denn ein Reißer ist die ›Salome‹ allemal. Schade, daß sie so schnell aus dem Salzburger Spielplan verschwand.

Karajans Inszenierungen werden von der Kritik meist unfreundlich behandelt, was ich als ungerecht empfinde. Im Gegensatz zu vielen modernen Opernregisseuren steht bei ihm der Sänger im Vordergrund. Er verlangt von ihnen nicht, auf dem Kopf stehend zu singen, sondern gesteht ihnen eine Position zu, die ihren Gesang am besten zur Wirkung bringt, was nicht heißen soll, daß sie sich nach alter Manier nur an der Rampe aufhalten.

Heutzutage gibt es viele, die sich einbilden, Opern inszenieren zu können, die es aber lieber bleiben lassen sollten. Gewiß, die Musik rettet ja immer wieder eine noch so verkorkste Inszenierung, aber schade ist es schon, was da unnötig und für teures Geld verdorben wird.

Nichts gegen eine moderne oder originelle Inszenierung, wenn sie gut ist, wenn sie dem Werk keine Gewalt antut oder es gar ins Lächerliche zieht. Mir gefiel der ›Ring‹, von Patrice Chéreau inszeniert, ausgezeichnet, ich war in der Premiere dabei und war sofort sehr angetan, obwohl sich das Publikum vor Aufregung fast prügelte. Im nächsten Jahr, nach einigen Veränderungen, war es überhaupt ganz großartig.

Der erste Akt der ›Walküre‹ ist natürlich immer ein ›Hit‹, aber dann Wotans Monolog vor dem Spiegel, Brünnhildes Todverkündung — es wird schwer sein, sich daraufhin noch etwas Besseres einfallen zu lassen. Und der Schluß, besonders nach der Änderung des Bühnenbildes im zweiten Jahr,

Der 3. Akt der »Walküre« in der Bayreuther Inszenierung von Patrice Chéreau und unter der musikalischen Leitung von Pierre Boulez – mit Gwyneth Jones als Brünnhilde und Donald McIntyre als Wotan.

war einfach hinreißend. Außerdem ist Donald McIntyre als Wotan mein großer Schwarm. Wie eben der Wotan überhaupt die Partie aller Partien ist.

Der Chor

Lob gebührt jenen singenden Menschen, die sich aufopferungsvoll in den Dienst der Musik stellen, zumeist ohne Geld damit zu verdienen oder Ruhm zu ernten – sie tun es nur aus Liebe zur Musik: die Chorsänger.

Kein Oratorium, keine Messe, keine Passion, kein Requiem kommt ohne Chor aus, im Gegenteil: er spielt zumeist die Hauptrolle. Das Verdi-Requiem zum Beispiel, das auch große, teils opernartige Solopartien für eine Sängerelite enthält, hat dennoch seine stärksten Momente im Chor. Das Dies Irae, das Benedictus, das Agnus Dei bringen den Hörer an den Rand der Fassung, man braucht Stunden nach der Aufführung, um wieder einigermaßen zu sich zu finden. Ich habe das Verdi-Requiem mehrmals unter Karajan gehört, mit hochkarätigen Solisten und dem herrlichen Chor des Wiener Singvereins, und es ist »fast mehr als man ertragen kann«.

Ein anderes Requiem allerdings hat eine noch tiefer gehende Wirkung: das Deutsche Requiem von Brahms. Es sind Worte aus Psalmen, aus der Offenbarung des Johannes, aus dem Evangelium des Matthäus und aus verschiedenen anderen Bibelstellen, zum Beispiel aus dem Ersten Korintherbrief. Wenn der Bariton singt: »Siehe, ich sage euch ein Geheimnis. Wir werden nicht alle entschlafen, wir werden alle verwandelt werden und dasselbige plötzlich in einem Augenblick zu der Zeit der letzten Posaune«, begleitet ihn der Chor. Dann wieder der Bariton allein: »Dann wird erfüllet werden das Wort, das geschrieben steht«, und nun der Chor mit großer Eindringlichkeit: »Der Tod ist verschlungen in den Sieg. Tod, wo ist dein Stachel? Hölle, wo ist dein Sieg?«

Wohlbekannte Worte. Aber so eindringlich, so erhoben durch die Musik, daß man sie jetzt erst richtig begreift. Die Oratorien von Haydn, der ›Messias‹ von Händel, die ›Missa Solemnis‹ von Beethoven sind alles Werke, in denen der Chor die wichtigste Rolle spielt.

Noch einmal: Bach. Johann Sebastian Bach, diese nie faßbare Menschwerdung eines Wunders, hat in der h-moll-Messe, im Weihnachtsoratorium, in den Kantaten, in den Passionen Werke geschaffen, die — ja, eigentlich fehlen mir die Worte auszudrücken, was diese Musik für einen Menschen bedeuten kann. Vielleicht könnte ich sagen, diese Musik läßt uns Gott dafür danken, geboren zu sein. Geboren zu sein, um sie zu hören. Derartige Gefühle kann einem sonst nur die Natur vermitteln — Meer, Berge, Wald, Himmel und Sterne. In wenigen Augenblicken die Liebe, und vielleicht noch — manchmal — eigene schöpferische Kraft.

Das Weihnachtsoratorium hört man logischerweise in der Weihnachtszeit, es wäre falsch, es im Juli auf den Plattenteller zu legen, eine Aufführung findet um diese Zeit sowieso nicht statt. Das ist richtig so. Es gehört zu Weihnachten, es ist, genaugenommen, das schönste an Weihnachten. Wie in den Passionen ist es der hohe Tenor des Evangelisten, eine außerordentlich schwierige Partie, der die Geschichte mit Bibelworten erzählt. Der Chor beginnt fulminant »Jauchzet, frohlocket! Auf, preiset die Tage.« Man ist sofort mittendrin im Wunder der Menschwerdung Christi. Am liebsten höre ich die Altarien: »Schließe, mein Herze, dies selige Wunder fest in deinen Glauben ein.« Auch die anderen Solisten haben Herrliches zu singen, so das Duett zwischen Sopran und Baß: »Herr, dein Mitleid, dein Erbarmen, tröstet uns und macht uns frei.« Und natürlich wartet man jedesmal auf die Echoarie des Soprans.

Als ich ein sehr junges Mädchen war, träumte ich davon, einen Roman über Bach zu schreiben, und der Titel, das

*Die Münchner Philharmoniker proben Verdis »Requiem«
in der Lukas-Kirche.*

war ganz klar, würde aus der ersten Zeile der Arie des Bassisten bestehen: »Großer Herr und starker König.« Nun, ich habe diesen Roman nicht geschrieben, und ich werde ihn auch nicht schreiben. Es ist genug über Bach geschrieben worden, und für einen Roman ist er zu schade.

Große Chöre hat man auch in den zuvor genannten Werken. Aber in den Chorälen unterscheidet sich Bach von allen anderen: im Weihnachtsoratorium und vor allem in den Passionen. Man kennt sie aus der Kirche, aus der Schule, sie sind Allgemeingut. Aber hier, eingebettet in das Geheimnis um Christi Geburt oder in das große Drama seines Sterbens, klingen sie anders, treffen ins tiefste Innere des Menschen: »O Haupt voll Blut und Wunden«, »Wenn ich einmal soll scheiden, so scheide nicht von mir«. Schlicht und einfach singt es der Chor, eben wirklich als Choral, und so entsteht echte Frömmigkeit, müßte entstehen auch im größten Atheisten.

Der Chor hat aber auch dramatische Höhepunkte von einzigartiger Gewalt, so der Barrabam-Schrei in der Matthäus-Passion, der so modern ist, auch in der Instrumentation, daß man sich fragt: Wann hat Bach eigentlich gelebt? Damals? Heute? Immerdar?

Arbeit, Fleiß und Hingabe werden auch dem Chorsänger abverlangt. Man soll nicht meinen, da singt einer bloß mit in der Menge, es fällt gar nicht weiter auf, wenn er danebensingt oder krächzt. Jeder verantwortungsvolle Chorleiter wird von Zeit zu Zeit seine Sänger einzeln vorsingen lassen, er will wissen, wie die Stimme sitzt, wie es mit der Atmung steht, ob ohne Zögern vom Blatt gesungen werden kann. Er wird alle Fehler hören, und falls er nicht selbst der Dirigent ist, muß er dafür sorgen, daß der Dirigent für die letzten Proben und für die Aufführung ein perfektes Instrument in die Hand bekommt.

Auch in der Oper, in der Operette spielt der Chor eine

wichtige Rolle, hier muß er nicht nur singen, sondern auch mitspielen, kostümiert und geschminkt. Proben und zahlreiche Aufführungen bedingen, daß zumindest der Hauptteil des Chores fest engagiert ist, aus guten Sängern besteht, die natürlich Gage bekommen. Besonders eindrucksvoll sind immer die Chöre in Bayreuth, und man bedenke, daß es sich ja nicht um einen ständig beschäftigten Chor handelt, sondern daß die Sänger von anderen Häusern angereist kommen, wohlgemerkt in ihrer Urlaubszeit, und großartige Leistungen vollbringen. Die großen Chöre in Wagner-Opern, im ›Lohengrin‹, im ›Tannhäuser‹, im ›Holländer‹, in den ›Meistersingern‹ verlangen ein starkes Aufgebot kompetenter Sänger.

Beherrschend ist der Chor auch in einem Werk neuer Musik, in den ›Carmina burana‹ von Carl Orff, die eher einem Oratorium gleichen.

Die Stimme

Das edelste, schwierigste, empfindsamste Instrument, das es gibt, ist die menschliche Stimme. Wer das Risiko eingeht, den Beruf eines Sängers zu ergreifen, wird einen lebenslangen Kampf mit den Anfälligkeiten seines Körpers und seiner Nerven führen müssen; er braucht Kraft, Beharrungsvermögen, Mut, Egoismus, eine eiserne Disziplin und schließlich auch die Fähigkeit, Enttäuschungen und Niederlagen, eventuell auch die endgültige Niederlage zu ertragen.

Der Sänger hat kein Instrument, er selbst ist das Instrument. Und wer wüßte nicht, was für ein labiles Gebilde der menschliche Körper ist, welchen Anfechtungen Geist und Nerven ausgesetzt sind.

Das Instrument Stimme muß jeden Tag, den Gott werden läßt, neu erobert werden. Kein Sänger weiß, wenn er auf die Bühne oder auf das Podium geht, ob er sich auf seine Stimme verlassen kann. Kein Tag, kein Abend wird sein wie der andere. Klang beim Einsingen die Stimme so wundervoll, ist auf der Bühne der Glanz mit einemmal weg. Oder tagsüber, bei Proben, bei Exercisen, war die Stimme spröde, schien wie festgeklemmt im Hals zu stecken, eine Indisposition unvermeidlich, doch kaum ist der Vorhang aufgegangen, kommt es mächtig und mit aller Pracht über die Rampe – Celeste Aida. Auf einmal ist alles da.

Freilich – trotz Arbeit, Technik, Routine, eiserner Nerven bleibt immer ein Rest Ungewißheit, das Wissen um menschliche Unvollkommenheit, bleibt das Wagnis. Früher sagte man den Sängern, speziell den Tenören, nach, sie seien dumm. Gemeint war damit wohl eine gewisse Dickfellig-

»Wie sich die Bilder gleichen«: Enrico Caruso als Cavaradossi in Puccinis Oper »Tosca«.

keit, gepaart mit Selbstgefälligkeit, die ein Sänger einfach braucht, um sich gegen die Umwelt abzuschirmen. Allzu sensibel sollte er nicht sein. Dumm ist er deswegen noch lange nicht, sonst könnte er keine wirkliche Leistung bieten.

Ist sie aber da die Leistung, hat die Stimme das gebracht, was nicht nur das Publikum, was vor allem der Sänger selbst von ihr verlangt, dann empfindet er ein Glück, das sich durch nichts auf Erden übertreffen läßt.

Der Weg ist weit vom Schüler, vom Ensemblemitglied eines Provinztheaters bis zum international gefeierten Star. Und falls dieses Ziel erreicht wird, kann keiner wissen, wie lange er sich auf diesem Platz behaupten wird. Denn auch das weiß jeder Sänger: Die Jahre der großen Leistung, die Zeit des Ruhms sind begrenzt. Auch dies unterscheidet seinen Beruf von jedem anderen Beruf. Vergleichbar ist höchstens noch das ähnlich quälende Dasein eines Tänzers.

* * *

Alle Namen von Sängern zu nennen, die mich im Laufe der Jahre begeistert haben, ist unmöglich. Da ich ja so viele Opern liebe, von Mozart bis Puccini, erübrigt es sich, von einzelnen Partien zu sprechen. Soll ich sagen, Taminos Arie »Dies Bildnis ist bezaubernd schön« ist meine Lieblingsarie, möglichst gesungen vom unvergessenen Fritz Wunderlich? Oder »Nessun' dorma« aus ›Turandot‹ ist absolute Krönung des Belcanto? Es gibt so unendlich viel.

Mich bekümmert dabei ein besonderes Problem: das Aussterben der Tenöre, vor allem der Heldentenöre. Es werden immer weniger, eigentlich gibt es sie gar nicht mehr. Woran liegt das? An nicht vorhandenem Stimmaterial, an mangelnder Begabung, zu wenig Fleiß und Ausdauer, an einer kraftlosen Generation, die sich zu großen Leistungen nicht aufschwingen kann? Nachgerade können die großen Opernhäuser keinen Tristan, keinen Tannhäuser, schon gar keinen Siegfried mehr finden, und darum fehlen die großen Opern im Repertoire. René Kollo ist weit und breit der einzige große Heldentenor, den wir hierzulande noch aufzuweisen haben. Er ist nicht nur ein prachtvoller Sänger, sondern auch ein kluger, der seine Auftritte wohldosiert, und das mit Recht, denn wer Raubbau treibt an der empfindlichen Stimme eines Tenors, muß befürchten, daß er nicht lange singen wird.

Steht in Bayreuth der ›Tristan‹ fünfmal auf dem Programm, wird Kollo ihn höchstens dreimal singen. Aber dann mit Vollkommenheit, auch im Spiel.

Wenn man vom ›Tristan‹ spricht, erinnert man sich natürlich an Wolfgang Windgassen, einen unvergleichlichen Tristan. Und gleich darauf stellt sich die immer wiederkehrende Frage: Wie mag man ihn gesungen haben zu Wagners Zeit?

Da Musikmenschen sich immer zu Musikmenschen hingezogen fühlen, hatte ich einen Mann geheiratet, der fast noch närrischer war als ich. Keine ›Tristan‹-Aufführung — keine! —, in der wir nicht saßen. Und ein gar so seltenes Ereignis war es nicht. Die großen Opernhäuser konnten früher solch eine Partie ohne weiteres besetzen, und wenn ich noch weiter zurückdenke, so war es ganz normal, daß es im Ensemble einer Oper zwei oder drei wirklich große Namen gab, mit denen jede Oper erstklassig zu besetzen war.

Einen ganz originellen ›Tristan‹ brachte Leonard Bernstein, und zwar in einer konzertanten Aufführung mit dem Bayerischen Rundfunksymphonieorchester, mit Hildegard Behrens, Peter Hoffmann und Yvonne Minton als Brangäne. Originell insofern, als jeder Akt separat an einem Abend gegeben wurde, dazu in großen Abständen. Das ist natürlich sowohl für die Sänger wie für die Zuhörer schonend. Verdienstvollerweise übertrug das Fernsehen später alle drei

Abende, wodurch man zu einem doppelten Genuß kam. Meine Anregung wäre daher, diesen ›Tristan‹ gelegentlich zu wiederholen.

Liegt es vielleicht eben doch an der übertriebenen Reisetätigkeit der großen Sänger? Wen hält es denn heute noch im Ensemble? Einmal halbwegs anerkannt, geschweige denn berühmt – weg sind sie. Das Zeitalter der fliegenden Sänger, das ist es, was wir haben. Heute sind wir soweit, daß das Publikum ihnen nachreist, um sie zu hören, anstatt in die eigene Oper zu gehen.

Wenn neue Namen auftauchen, kommen die Sänger zumeist aus Amerika oder aus den Ostblockstaaten. Dort legt man offenbar mehr Wert auf gute und geduldige Ausbildung, gibt man den Sängern Zeit, sich zu entwickeln. Man kann natürlich auch sagen, Amerika ist groß, und der Raum zwischen Prag und Moskau ist auch beträchtlich, wer da sucht, findet möglicherweise leichter. Oder haben sie einfach mehr Ausdauer, mehr Fleiß, auch mehr Ehrgeiz? Wie schon gesagt: Kunst kommt von Können.

Ausreichend Tenöre gibt es für das italienische Fach, bei Verdi und Puccini ist die Besetzung nicht so ein großes Problem wie bei Wagner. Mein Lieblingssänger in diesem Fach ist allerdings Spanier – Placido Domingo, eine große, herrliche, männliche Stimme, ein hervorragender Schauspieler dazu. Sein Cavaradossi, sein Othello, sein Des Grieux und sein Turridu – das gibt es so leicht nicht wieder. Und neuerdings hat er den Wunsch und den Mut, Wagner zu singen. Das ist eine Seltenheit in diesem Fach. In Wien hat er den Lohengrin gesungen – wie man mir erzählt hat, sei er fabelhaft gewesen. An der Met wird er ihn auch singen. Von der Stimme her müßte ihm die Partie gut liegen.

›Lohengrin‹ war in meiner Kindheit mit Abstand meine

Placido Domingo

*»Treulich geführt«: René Kollo als Lohengrin
und Caterina Ligendza als Elsa im 2.Akt
von Richard Wagners »Lohengrin« in einer Inszenierung
der Bayerischen Staatsoper.*

Lieblingsoper. Mein Vater dichtete einmal: »Da sie kein Geld nicht haben tut, hat sie gepumpt bei Vater, nun kann sie gehn in Lohengrin oder sonst so ein Theater.«

Ich mag auch jetzt noch, mindestens einmal im Jahr, im ›Lohengrin‹ sitzen. Übrigens haben wir in München eine besonders schöne Inszenierung von August Everding, und sie hat einen wunderschönen Schwan, groß und herzbewegend, wenn er mit traurigem Flügelschlag über die Schelde kommt. Viele Jahre lang hat man sich ja überhaupt nicht getraut, einen Schwan auf die Bühne zu bringen, Lichtreflexe mußten ihn ersetzen. Warum eigentlich? Wenn Wagner doch nun mal einen Schwan haben will, na bitte. Unserer in München ist groß, größer als ein normaler Schwan, er steht aufrecht, und so kann Gottfried am Schluß ganz leicht aus ihm erstehen. Das finde ich gut.

Bei Bariton und Baß sieht es besser aus als beim Tenor, da ist das Angebot nicht so knapp, auch nicht das deutsche, das sei besonders hervorgehoben. Wir haben drei ganz wunderbare Künstler in diesem Fach, die, das möchte ich betonen, außerdem noch erstklassige Liedsänger sind: Hans Hotter, Dietrich Fischer-Dieskau, Hermann Prey. Unvergessen in München noch Joseph Metternich, den ich in den meisten Partien seines Faches gehört habe. Heute unterrichtet er, wie so viele große Sänger es als Abschluß ihrer Laufbahn tun, um das, was sie können, an eine junge Generation weiterzugeben.

Ein Tenor muß unbedingt noch genannt werden, dessen Stimme jahrzehntelang die Menschen beglückt hat: Rudolf Schock.

Die Göttlichen

Ich kann es überhaupt nicht verstehen, wenn ein Sänger die große Herausforderung nicht annimmt, Lieder zu singen und zu interpretieren, diese edelste, reinste Art zu singen. Natürlich ist es eine spezifisch deutsche Angelegenheit, denn unsere Komponisten haben nun einmal all die schönen Lieder geschrieben.

Hans Hotter sang eine vollendete ›Winterreise‹. Fischer-Dieskau und seine ›Winterreise‹ habe ich auf Platte, ich kann sie hören, so oft ich mag. Nicht zu oft, sie strapaziert mich seelisch so sehr. ›Die schöne Müllerin‹ singt bei mir Hermann Prey, und Löwe-Balladen singt er auch. Was mir immer leid tut für Sängerinnen, daß sie die ›Winterreise‹ nur für sich allein zu Hause singen können; aber sie haben genügend schöne Lieder von Schubert, sie haben die ›Mondnacht‹ von Schumann, und sie haben Brahms. Und natürlich Hugo Wolf.

Die von mir so hoch verehrte Erna Berger ist auch eine wunderbare Liedsängerin. Ich besitze eine Platte von ihr und Hermann Prey mit dem ›Italienischen Liederbuch‹, und ich kann gar nicht sagen, *was* für eine Platte das ist — besser als die beiden kann man diesen zauberhaften Zyklus nicht singen.

Um noch bei Erna Berger zu bleiben: Verdi, Puccini, alles hat sie hinreißend gesungen, vor allem natürlich Mozart; die Susanna, und ihre so perfekt und so musikalisch gesungene Königin der Nacht ist nach wie vor einmalig. Erika Köth, die lange der Münchner Oper treu geblieben ist, kam ihr am nächsten, auch sie hat dieses gold-silberne Timbre.

An zwei Sängerinnen muß ich noch denken, die in der von mir so geliebten ›Arabella‹ unübertrefflich waren: Lisa

Erna Berger

della Casa und Anneliese Rothenberger. Und dazu dann Fischer-Dieskau als Mandryka, das war vollendet, im Gesang, im Spiel, in Musik und Text, eine einzige Wonne.

Ein Opernabend, der traditionsgemäß aus zwei Opern besteht – und diese Gewohnheit sollte man nicht ändern –,

Leonie Rysanek

ist auch immer wieder ein mitreißendes Erlebnis: ›Cavalleria Rusticana‹ und ›Bajazzo‹. Das ist vollsaftiges Theater, ist
ein Fest für schöne Stimmen und für die, die zuhören dür-

fen. Wir haben in München eine höchst gelungene Aufführung der beiden Opern, inszeniert von Giancarlo del Monaco. In der Premiere sangen seinerzeit Domingo und Leonie Rysanek den ersten, Teresa Stratas und Carlo Cossutta den zweiten Teil. Da blieb kein Wunsch offen. Nun ist beiden Opern etwas gemeinsam, das sich als höchst wirkungsvoll erweist: in der Cavalleria beginnt es mit Turridus Serenade für die schöne treulose Lola, »O Lola, rosengleich blühn deine Wangen«, und der Bajazzo hat einen der effektvollsten Opernauftritte überhaupt, den Prolog. Ein Hochgenuß für Sänger und Publikum, wenn Tonio vor den Vorhang tritt und machtvoll beginnt: »Schaut her, ich bin's!« Woraufhin ich doch noch einmal mein Bedauern darüber aussprechen muß, daß alle italienischen und französischen Opern, zum Teil auch Mozart, nur noch italienisch beziehungsweise französisch gesungen werden. Originalsprache, ich weiß. Ich finde dennoch den deutschen Text vom ›Figaro‹ höchst gelungen und charmant. Und wenn ich auch ›Carmen‹, ›Faust‹ und alle Italiener auswendig kann — ich meine, den deutschen Text —, ist es doch bedauerlich, daß man die deutsche Fassung nie mehr zu hören bekommt.

Klingt es vielleicht nicht schön: »Wie eiskalt ist dies Händchen« oder »Leb wohl, o Erde, du Tal der Tränen...« Ich denke wiederum an Kinder, denen doch viel damit genommen wird, wenn sie den Text nicht verstehen. Ich weiß noch, als ich in meiner ersten Butterfly war, zerfloß ich in Tränen.

Natürlich, da die Sänger heute so international geworden sind, ein einheimisches Ensemble nur noch ein Wunschtraum ist, erleichtert der italienische Text die Zusammenarbeit. Aber dennoch — es ist schade... Wenn Othello singt: »Jeder Knabe kann mein Schwert mir entreißen...«, dann läuft es einem kalt über den Rücken. Die Sprache ist eben in der Oper auch von Wichtigkeit, und ich finde, man sollte wieder mehr deutsche Opern aufführen, die, von Wagner abgesehen, weitgehend aus dem Repertoire verschwunden sind. Den ›Freischütz‹ möchte ich wieder einmal hören in einer exzellenten Aufführung, zuletzt kam er über das Fernsehen zur Wiedereröffnung der Semper-Oper in Dresden. Lortzing, Flotow und vor allem ›Tiefland‹ von Eugen d'Albert ist überfällig. Ich würde gern wieder einmal ›Die Königskinder‹ von Humperdinck hören, ein einziges Mal habe ich diese Oper auf der Bühne gesehen, und das ist lange her. ›Mona Lisa‹ von Max von Schillings habe ich nie gesehen, ich erinnere mich nur, daß meine Mutter davon schwärmte. Und Pfitzner hat schließlich nicht nur den ›Palestrina‹ geschrieben.

Eine ganz hervorragende Sängerin haben wir inzwischen auch wieder im eigenen Land hervorgebracht: Hildegard Behrens, die sehr schnell eine internationale Karriere gemacht hat. Ich hörte sie zum erstenmal, da war sie noch relativ unbekannt, als Leonore im ›Fidelio‹ unter Karl Böhm. Eine faszinierende Stimme, stark, geschmeidig, wie blitzender Stahl, doch ohne jede Schärfe. Ihre Salome bei Karajan erwähnte ich schon, nun singt sie in Bayreuth die Brünnhilde, singt sie ganz herrlich, nur verstehe ich nicht, warum sie sich nicht gegen das Kostüm gewehrt hat, das sie tragen muß.

Die Brünnhilde ist eine ebenso schwere wie gefährliche Partie, verlangt sie doch allerhand Lautstärke, was eine schönklingende Stimme leicht strapazieren kann. Gwyneth Jones, die in Bayreuth zuvor die Brünnhilde sang, hat alles gut überstanden, zuletzt erlebte ich sie als bezaubernd schöne Marschallin im ›Rosenkavalier‹, eine der schönsten Partien der gesamten Opernwelt, die immer noch an Elisabeth Schwarzkopf gemessen wird, die lange Zeit *die* Marschallin überhaupt war. Nicht zuletzt bezieht die Marschallin ihre große Wirkung aus dem Text von Hugo von Hofmanns-

Hildegard Behrens als »Salome« in der gleichnamigen Oper von Richard Strauss (Salzburger Festspiele 1977).

thal, der sich so kongenial mit der Musik von Richard Strauss verbindet. Womit ich wieder einmal auf Singbarkeit deutscher Texte hinweisen möchte. Allerdings – nicht jedes

Libretto hat solch einen großen Dichter wie Hofmannsthal gefunden.

Ein paar Namen von Sängerinnen seien noch genannt, die Überragendes leisten: Birgit Nilsson, Mirella Freni, Katia Ricciarelli, ich hörte sie als Tosca, sie ist nicht nur eine bildschöne Frau, sie singt genau so, wie sie aussieht. Octavian hat derzeit zwei hervorragende Interpretinnen, Brigitte Faßbaender und seit neuestem Agnes Baltsa. Auch die Baltsa ist ein Senkrechtstarter wie Hildegard Behrens, auch sie eine Entdeckung Karajans. In jener sagenhaften ›Salome‹ in Salzburg sah ich sie zum erstenmal in der kleinen Partie der Herodias. Aber es dauerte nicht lange, da sang sie die Eboli, auch in Salzburg, und Karajan applaudierte ihr begeistert. Inzwischen singt sie die Carmen, das war bei den Osterfestspielen 1985.

Festspiele

Totgesagte leben am längsten und sind von zäher Gesundheit, so sagt man. Am Beispiel Oper läßt es sich beweisen. Seit Jahren verkünden besonders gescheite Kulturbetrachter: Die Oper ist tot, nicht mehr zeitgemäß, kann dem modernen Menschen nichts mehr bedeuten.

Das Gegenteil ist der Fall: Nichts ist so begehrt und ausverkauft wie die Oper, die richtige vollsaftige Oper mit echter Musik und schönen Stimmen. Und ausverkaufter als ausverkauft sind Festspiele.

Es werden ihrer immer mehr, man benötigt einen besonderen Festspielkalender, um sich zu orientieren. Da gibt es neben den altbewährten Festspielen mit großen Orchestern und berühmten Dirigenten auf einmal da und dort solche, die begeisterter Nachwuchs veranstaltet, und der Zuhörer sieht sich in helles Entzücken versetzt, wenn junge unbekannte Leute, mit viel Schwung und Lust einen ›Figaro‹ über die Rampe bringen.

Verona, Ravenna, Avignon, München, Brüssel, Zürich, Bregenz — man kann nicht alle Orte nennen, wo festliche Musik erklingt, auf jeden Fall veranstalten Reisebüros Fahrten und Flüge zu Premieren und Festwochen, die immer ausgebucht sind.

Glyndebourne sollte noch als besondere Kuriosität erwähnt werden, denn hier hat ein Mann für die Frau, die er liebte, ein Theater in sein Schlößchen eingebaut und eigene Festspiele veranstaltet. So geschehen im Jahr 1935. Glücklicherweise hatte der Mann Geld, und die Frau konnte singen. Diese Festspiele gibt es heute noch, und sie gehören zum exklusivsten und feinsten der Gattung. Man fühlt sich wie ein Gast im Schloß und sitzt in der Pause auf gepflegtem

Vor dem Festspielhaus in Salzburg.

Rasen und macht Picknick. Immer vorausgesetzt, man hat Karten bekommen.

Vor allem soll nun aber hier die Rede von den beiden Festspielen sein, die sowohl die ältesten als auch die begehrtesten sind: Bayreuth und Salzburg.

Salzburg, dieses Traumbild einer Stadt, in der zudem noch Mozart geboren wurde, schien vom Himmel dazu bestimmt, eine Festspielstadt zu werden. Schon im 19. Jahrhundert war davon die Rede gewesen, denn Feste hatte man in dieser Stadt immer gern gefeiert, und Mozart hatten sie ohnedies.

Max Reinhardt, der große Zauberer, war es schließlich, der ernst machte mit den Festspielen und zwar, man bedenke die Jahreszahl, begann er damit im August 1920. Zwei Jahre zuvor tobte in Europa noch ein mörderischer Krieg, dessen Ende den Zerfall einer geordneten Welt, den Untergang der mächtigen Habsburger Monarchie brachte.

Reinhardt, der Österreicher, der in Berlin große Karriere gemacht hatte, muß Salzburg wohl schon immer geliebt haben, und darum kaufte er im Jahr 1919 Schloß Leopoldskron. Es erscheint heutzutage wie ein Märchen aus lang vergangener Zeit, daß einer sich solch ein Schloß kaufen konnte und dort, wie die Überlieferung berichtet, die herrlichsten Feste feierte.

Es geschah in unserem Jahrhundert. Zwanzig Jahre später allerdings war das Märchen zu Ende. Reinhardt verließ Salzburg und Europa, nachdem die Nationalsozialisten in Österreich einmarschiert waren.

Doch die Salzburger Festspiele, die er geschaffen hatte, blieben erhalten.

1920 dauerten sie fünf Tage. Man führte den ›Jedermann‹ von Hugo von Hofmannsthal auf. 1921 war schon Musik dabei, nur Mozart, und 1922 wagte man sich an die Oper, viermal Mozart: ›Don Giovanni‹, den man damals noch ›Don Juan‹ nannte, ›Cosi fan tutte‹, beide Werke dirigiert von Richard Strauss, ›Die Hochzeit des Figaro‹ und ›Die Entführung aus dem Serail‹, dirigiert von Franz Schalk, der zusammen mit Strauss die Direktion der Wiener Oper innehatte.

Damit sind alle Namen genannt, die sich um die Festspiele von Salzburg verdient gemacht haben. Neben Max Reinhardt waren es Richard Strauss, Franz Schalk und der wunderbare Dichter Hugo von Hofmannsthal.

Max Reinhardt

So also begann es, und es dauerte beim drittenmal schon sechzehn Tage lang.

1923 allerdings sah es dann finster aus, die Inflation näherte sich ihrem Höhepunkt, da war wohl kein Geld für die Oper vorhanden, man spielte nur im Stadttheater einen Mo-

Maria Ivogün (Mitte) in Mozarts »Figaros Hochzeit« zusammen mit Stueckgold und Baumann.

lière, immerhin von Max Reinhardt inszeniert. 1924 war es dann zappenduster, da fand gar nichts statt.

Aber siehe da, bereits 1925 ging es richtig los, sogar mit einem neuen Festspielhaus, und nun hatte man auch alles, was zu einem ordentlichen Unternehmen gehört; ein Kuratorium, einen Präsidenten, und der Bundeskanzler, der Landeshauptmann und der Bürgermeister hielten Ansprachen. Neben Oper und Schauspiel gab es große Orchesterkonzerte, Kammermusik und Liederabende, unter anderem einen mit der unvergessenen Maria Ivogün, die eine sagenhaft schöne Stimme besessen haben muß.

1926 war genau genommen der heutige Standard schon erreicht, man weihte mit einem Festakt das neue Festspielhaus ein, und neben Mozart hörte man nun auch Opern von Pergolesi, von Gluck, von Richard Strauss. Im Jahr 1927 spielte man dann einen vollen Monat lang.

Es änderte sich nichts daran, nachdem die Nazis in Österreich waren, die Festspiele wurden vom Krieg nicht im geringsten behindert. Erst 1944, als der Krieg in seine schreckliche letzte Phase trat, mußten alle Theater schließen. Aber es war wirklich nur dies eine Jahr, bereits im Sommer 1945, drei Monate nach Kriegsende ging der Vorhang wieder auf, ein Schauspiel, eine Oper vorerst, aber viele, viele Konzerte.

Ich bin geneigt, dies als eine Art Wunder zu betrachten. Ein Wunder der Kultur. Nein, das Wunder ist der Mensch, der selbst im größten Elend, hungernd, verzweifelt, auf Musik nicht verzichten kann. Vielleicht sie gerade dann besonders nötig braucht.

Nun gibt es ja in Salzburg nicht nur die Festspiele im Sommer mit ihrem reichhaltigen, vielseitigen Programm, es gibt außerdem die Osterfestspiele, und sie erfreuen sich bei Kennern großer Beliebtheit. Ein sehr konzentriertes Programm, eine Oper, zwei Konzerte, ein Chorwerk, zwei Tage Pause, das Ganze noch einmal, diesmal anders herum.

Die Osterfestspiele sind eine Schöpfung von ›Zauberer Nummer Zwei‹, Herbert von Karajan. Selbstverständlich ist er im Sommer auch dabei, aber Ostern ist alles sein Werk, höchstens ein Gastdirigent wird einmal zugelassen. Hier sind die Musikfreunde und die Karajanverehrer ganz unter sich, man kann fast sagen, es sind immer dieselben. Diese vier Tage, die man in Salzburg verbringt, haben etwas Geschlossenes, Konzentriertes; Rummel gibt es dabei nicht. Während im Sommer die Stadt überquillt von Menschen, so daß man ihr am besten entflieht in die Wälder oder in die Berge, und wer öfter nach Salzburg kommt, kennt natürlich mit der Zeit ein paar verschwiegene Platzerl — ist es um den Palmsonntag herum in der Stadt noch friedlich, unter einer jungen Frühlingssonne oder, falls Ostern früh im Jahr liegt, sogar noch mit Schnee auf den Bergen und möglicherweise auch in den Gassen. Da läßt es sich herrlich an der Salzach entlangspazieren, und in Morzg weiß ich ein gutes Gasthaus, wo man geruhsam und gut speisen kann, ohne den Tisch ein halbes Jahr vorher bestellen zu müssen.

Nur — wie kommt ein Mensch an Karten für die Festspiele, für diese oder jene?

Da gibt es den sehr vornehmen und geraden Weg, man wird ein Förderer der Festspiele, was heißt, man bezahlt eine gewisse Summe, und kann sich als Mäzen betrachten. Nur hat das Geschick auch hier Grenzen gesetzt, denn so viele Plätze gibt es gar nicht, daß jeder fördern kann, der fördern möchte. Oder man ist ein möglichst prominenter Mensch mit Beziehungen, oder aber man ist bereit, erhöhte Schwarzmarktpreise zu bezahlen. Gelobt sei Österreich, denn das gibt es dort. Und ich finde es auch ganz in Ordnung; alles, was auf Erden begehrt und selten ist, wird auf einem schwarzen Markt gehandelt. Das ist so, das war so, das bleibt so. Und ein schwarzer Markt dieser Art ist ja nicht durch Hunger und Not entstanden, sondern durch die Lust am Genuß. Um etwas Schönes zu genießen, muß man dafür bezahlen, so gut man eben kann, und vielleicht auf einige andere Dinge verzichten, die einem nicht so viel bedeuten. Es soll auch Leute geben, die eine Menge Geld ausgeben, um zu einem Fußball-Länderspiel zu fahren oder zu fliegen oder bei Olympia zugegen zu sein.

Jeder nach seinem Gusto.

An dieser Stelle muß ich noch einmal auf die gehässige Verleumdung zurückkommen, die sich immer wieder in den Gazetten findet, die Leute führen nur aus Angabe und Protzerei nach Salzburg, von Musik hätten sie sowieso keine Ahnung.

So ist es nicht. Ein paar von der Sorte mögen jeweils dabei sein, wo fände man sie nicht.

Doch wer die Gesichter der Menschen sieht, in denen Hingabe, Freude, Glück über das Erlebnis geschrieben steht, und vollends wer ihre Gespräche hört, wird schnell eines Besseren belehrt, denn Kenntnis, Verständnis sind weitgehend vorhanden. Übrigens sind unter dem Publikum der Festspiele alle Lebensalter vertreten, von sehr jung bis sehr alt, und keineswegs sehen sie alle so aus, als seien sie eben aus einem Geldsack gekrochen. Das gilt genauso für Bayreuth.

Hier wie dort ist das Publikum international, da findet sich von Amerika bis Japan alles ein, was gute Musik hören möchte, und man hat keineswegs den Eindruck, das seien alles Millionäre. Erstaunlich ist es immer wieder, wieso sich ausgerechnet Franzosen so für Wagner begeistern. Seine Texte klingen manchmal schon für deutsche Ohren befremdlich, was kann ein Franzose mit seiner knappen, präzisen Sprache damit anfangen; und der Text ist ja bei Wagner fast so wichtig wie die Musik. Das hat er so gemeint und so gewollt, er schrieb selbst die Worte zu seiner Musik, und wenn auch manches skurril klingt, möglicherweise zur Parodie herausfordert, so hat er doch auch wunderschöne Formulierungen gefunden, und diese Einheit von Wort und Musik zeichnet die Wagner-Opern vor allen andern aus. Denn was tut manchmal ein verpfuschtes Libretto einer schönen Musik an.

Bei Richard Wagner ist es wichtig, nicht nur zu hören und zu schwelgen, sondern auch zu verstehen. Damit kann man sich ein Leben lang beschäftigen, nicht nur weil seine Musik süchtig macht, sondern weil man sich auch mit den

Worten und dem Sinn des Textes immer vertrauter machen möchte und möglichst alles verstehen will, was ja beispielsweise beim Ring gar nicht so einfach ist. Da hat man sie also schon, ›die Liebe, die niemals vergeht‹.

Ich kann mich gut an meine erste ›Walküre‹ erinnern, ich sehe Brünnhilde noch vor mir, wie sie am Boden liegt im dritten Akt, den Kopf hebt und leise zu fragen beginnt: »War es so schmählich, was ich verbrach, daß mein Verbrechen so schmählich du bestrafst?«

Sie war etwas dick, aber eine gute Schauspielerin. Denn das eben müssen die Sänger bei Wagner sein, Schauspieler. Das verlangen seine Musikdramen, und ich denke mir, daß gerade aus diesem Grunde Vollblutkünstler so gern Wagner singen. Gwyneth Jones war eine anmutige, zarte Brünnhilde in Bayreuth, Wotan nahm sie auf die Arme wie ein Kind, nachdem er sie in den Schlaf geküßt hatte und legte sie behutsam nieder.

Und zuletzt war es Hildegard Behrens, erst in Bayreuth, dann in der neuen Münchner Inszenierung. Sie ist nicht dick, sie ist schön, sie singt wunderbar, und sie ist eine großartige Schauspielerin. Ansonsten bin ich von dem neuen Münchner Ring keineswegs besonders hingerissen, soweit es die Inszenierung betrifft. Chereau war besser. Doch was hat der Franzose angerichtet! Jeder Regisseur meint nun, er müsse noch einen Trumpf draufsetzen, müsse möglichst absurde Ideen bringen. Wotan vor dem Spiegel, im Selbstgespräch, das war gut. Wotan im Raumschiff mit Telex, das ist albern.

Bayreuth also. Eine liebenswerte Residenzstadt mit Geschichte, in einer anmutigen Landschaft gelegen, keine Berge, sondern Wälder und Hügel, im umliegenden Land findet man Schlösser und Parks, das Alte und das Neue Schloß in der Stadt, und das berühmte Barocktheater, das Markgräfliche Opernhaus, das die kunstverständige Markgräfin

Wilhelmine, die Schwester Friedrichs des Großen, erbauen ließ.

Als Wagner die Stadt Bayreuth erwählte, um hier seinen lebenslangen Traum zu verwirklichen, ein Festspielhaus für seine Opern zu bauen, war er achtundfünfzig Jahre alt und hatte ein unstetes, zerrissenes, geplagtes Leben hinter sich, so daß man sich fragt, wie er eigentlich die Zeit fand und woher er die Nerven nahm, dieses Riesenwerk zu schaffen.

Er war ein Genie, dieser Mann aus Sachsen. Und er wußte es und ließ es die Welt wissen. Wogegen nichts einzuwenden ist, denn nichts steht einem Genie schlechter zu Gesicht als alberne Bescheidenheit. Wer selbst nicht an sich glaubt, wird nie Bedeutendes vollbringen.

Er hatte auch so ziemlich alle Fehler, die ein Genie haben kann und offenbar auch haben muß. Der vom Schicksal ausgezeichnete Mensch, der mit ungeheuren Gaben beschenkte und gleichzeitig belastete Mensch, kann eben nicht wie ein Durchschnittsbürger leben und handeln. Mußte er sich unbedingt an der Revolution beteiligen? Was gingen den Künstler die nationalen Verwirrungen der Zeit an? Er mußte offenbar.

Dann mußte er fliehen, verlor seinen Posten, er hatte, wie zuvor schon, Schulden, nichts als Schulden, dazu seine unglückliche erste Ehe, dann das Fiasko in Paris, dann die große Liebe in der Schweiz — seine Biographie ist bekannt, hundertmal geschrieben, schwärmend oder auch gehässig, denn bis zum heutigen Tag kann man nur für oder gegen ihn sein, sich berauschen lassen von seiner Musik oder sich von vornherein abweisend verhalten.

Der Ausdruck ›Wagnerianer‹ sagt schon alles. Das war bereits zu seinen Lebzeiten als eine Art Schimpfwort gedacht. Es gab keine Mozartianer, keine Beethovenianer, keine Brahmsianer, aber es gab den Wagnerianer, das konnte, in leicht verächtlichem Ton ausgedrückt, bedeuten, daß

Das Bayreuther Festspielhaus auf dem Grünen Hügel.

es sich hier um einen überspannten Schwärmer handelte, beziehungsweise Schwärmerin.

Zugegeben, da ist etwas dran. Eine Wagner-Oper zu hören, vollends in Bayreuth, das ist nicht wie ein normaler Theaterbesuch, das hat wirklich etwas, ja, wie soll man es ausdrücken, nicht nur Festliches sondern Weihevolles an sich. Ich bitte um Verzeihung, aber es ist so. Dieses Festspielhaus auf dem Grünen Hügel, dieser gewiß nicht schöne Bau mit seinem düsteren Innenraum und seiner zauberischen Akustik ist für Musiker, Sänger und Dirigenten und natürlich für die Glücklichen, denen es gelingt, Karten zu bekommen, wirklich eine Art Wallfahrtsort. So hat sich Richard Wagner das gedacht, so hat sich das über hundert Jahre lang erhalten, und das ist wiederum das Erstaunliche daran, es war immer die Familie Wagner, die das Unternehmen Festspiele fortführte und leitete — Cosima, seine zweite Frau, Siegfried, der Sohn, Winifred, die Schwiegertochter, dann die Enkel Wieland und Wolfgang. Letzterer ist es nun, in dessen Händen die Riesenaufgabe liegt, jedes Jahr die Festspiele beginnen zu lassen. Man macht sich kaum eine Vorstellung, welche ungeheure Organisation und Arbeit dazu gehört.

Die Bayreuther kamen Wagner mit sehr viel gutem Willen entgegen, als er sie 1870 mit der Idee überraschte, in ihrer Stadt ein Festspielhaus zu bauen. Die Schwierigkeiten konnten sie nicht voraussehen, die der Bau und der Strom der Festspielgäste mit sich bringen würde. Ein wenig hat man immer das Gefühl, sie werden auch heute noch nicht ganz fertig damit.

1871 wurde der Grundstein zu dem Bau gelegt, 1876 endlich fanden die ersten Festspiele statt, der erste ›Ring‹ in Bayreuth.

Richard Wagner

Wie lange hatte er darauf warten müssen, wie mühselig war sein Leben gewesen. Helfer und Freunde hatte er auch gehabt, Franz Liszt vor allem, der immer zu ihm gehalten hatte, auch wenn er nur widerwillig Wagner später als Schwiegersohn akzeptierte. Und der erste große Wagnerianer, der junge König von Bayern. Neunzehn Jahre war Ludwig der Zweite, als er den notleidenden, wie immer tief verschuldeten Komponisten nach München holen ließ. Die Begeisterung des jungen Königs, seine Zuneigung, seine Großzügigkeit mußten Wagner wie ein Geschenk des Himmels vorkommen. Er nahm es an, ganz selbstverständlich, und machte nicht immer geschickten Gebrauch davon. Der Neid, die Gehässigkeit der Münchner machten ihm das Leben schwer, und seine Affäre mit Cosima von Bülow verärgerte schließlich auch den König. Und damit war der Traum, einen König zum Freund zu haben, auch schon ausgeträumt.

Aber Ludwig ließ ihn nie im Stich. Nachdem die ersten Festspiele 1876 mit einem Riesendefizit geendet hatten, und Wagner wieder einmal auf einem Riesenschuldenberg saß, half ihm der König. Wie immer betont werden muß, nicht aus der Staatskasse. Auch zuvor schon, während Wagners Münchner Zeit, wurden alle Kosten, die er dem König verursachte, aus der Zivilliste der Wittelsbacher bestritten. Genauso, dies sei nebenbei erwähnt, finanzierte Ludwig auch den Bau seiner Schlösser, an denen der Staat heute reichlich verdient.

Ja, und dann dauerte es sechs Jahre, sechs lange Jahre, bis zum zweitenmal Festspiele stattfanden, und es ist nicht schwer, sich vorzustellen, was das für bittere Jahre waren.

1882 also dann ›Parsifal‹. Diesmal mit Erfolg.

Ludwig II. König von Bayern war ein großer Bewunderer Richard Wagners.

1883 starb Richard Wagner.

Wer nach Bayreuth fährt, sollte daran denken, daß es ihm nur zweimal vergönnt war, Festspiele in seinem Haus auf dem Grünen Hügel zu erleben.

Wenn man in der Stunde der Pause auf der Terrasse sitzt, bei einem Viertel Frankenwein und einem kleinen Imbiß, wenn über den Wipfeln der Bäume der Abend dämmert, vielleicht sogar noch der Mond über dem Park aufsteigt, sollte man an ihn denken, und man wünscht sich dann, er könnte die Menschen da sitzen sehen, festlich gekleidet, Ergriffenheit und Dankbarkeit in den Herzen, dieses Wunder menschlichen Genies erleben zu dürfen. Zweimal hat er die Festspiele nur erleben dürfen. Gott sollte ihn wissen lassen, wie oft sie seitdem stattgefunden haben.

Was soll *ich* noch sagen? Danke. Danke für alles, was sie mir gaben und geben, die Sänger, die Chöre, die Instrumentalisten, die Dirigenten, vor allem die Komponisten. Und danke, daß Gott mir die Gabe verlieh, zu hören. Und dies meine ich nicht nur rein physisch.

BILDNACHWEIS

Archiv für Kunst und Geschichte, Berlin: Seite 30, 44, 49, 53, 80/81, 133, 144

Prof. Dr. Laetitia Boehm, München: Seite 19

Wolfgang Denneler, München: Seite 11

dpa, München: Seite 69 (Martin Athenstädt), 83 (Christine Pfund), 90

G. Huber: Seite 104

Interfoto, München: Seite 15, 45, 75, 152, 154 u. 137 (Felicitas Timpe), 143 (Heinz Röhnert)

Monica Matthias, Lochham: Seite 76, 87, 102 (Mitglieder des Orchesters des Staatstheaters am Gärtnerplatz, München)

Winfried Rabanus, München: Seite 26/27, 140, 141

Charles Tandy, München: Seite 121

Sabine Toepffer, München: Seite 130

Georg Zahl, Planegg: Seite 58

Alle übrigen Fotos: Bilderdienst Süddeutscher Verlag, München